D1066782

CASTING

VICTORIA

Stéphanie Lapointe

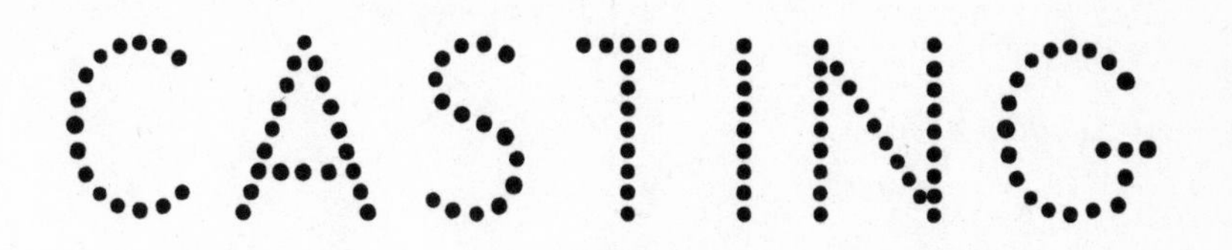

VICTORIA

LES ÉDITIONS DE LA BAGNOLE

D'après une idée originale de Chloé Varin.

Catalogage avant publication de Bibliothèque et Archives nationales du Québec et de Bibliothèque et Archives Canada

Lapointe, Stéphanie, 1984-

Victoria
(Casting)
Pour les jeunes de 12 ans et plus.
ISBN 978-2-89714-123-3
I. Titre.

PS8623.A735V52 2015 jC843'.6 C2015-940160-7
PS9623.A735V52 2015

Direction littéraire : Jennifer Tremblay
Révision : Michel Therrien
Couverture : Atelier BangBang (Simon Laliberté)
Mise en pages : Michel Fleury
Photo : Shayne Laverdière

Dépôt légal : 1er trimestre 2015
Bibliothèque et Archives nationales du Québec
Bibliothèque et Archives Canada

ISBN : 978-2-89714-123-3

GROUPE VILLE-MARIE LITTÉRATURE
Vice-président à l'édition
Martin Balthazar

Groupe Ville-Marie Littérature inc.
Une société de Québecor Média
1010, rue De La Gauchetière Est
Montréal (Québec) H2L 2N5
Tél. : 514 523-7993, poste 4201
Téléc. : 514 282-7530
info@leseditionsdelabagnole.com
leseditionsdelabagnole.com

Nous reconnaissons l'aide financière du gouvernement du Canada par l'entremise du Fonds du livre du Canada (FLC) pour nos activités d'édition.
Nous remercions le Conseil des arts du Canada de l'aide accordée à notre programme de publication.
Les Éditions de la Bagnole bénéficient du soutien financier de la Société de développement des entreprises culturelles du Québec (SODEC) pour son programme d'édition.
Gouvernement du Québec – Programme de crédit d'impôt pour l'édition de livres – Gestion SODEC.

À Virginie, Vanessa, Marie, Amélie.
À l'amitié.

« C’est en mer agitée
qu’on reconnaît la qualité du bateau. »

Proverbe africain

Prologue à mon nouveau (et hypothétique) journal

Je n'ai jamais tenu de journal avant aujourd'hui (sauf si écrire des niaiseries sur ses profs dans son agenda, ça compte). Je ne l'ai pas choisi, ce journal, avec sa couverture en cuirette rose à pois. Je l'ai trouvé ce matin, devant la porte de ma maison, au fond d'une boîte de carton défraîchie de Postes Canada sur laquelle on pouvait lire :

FROM : NYALA, SUDAN, AFRICA.

J'ai tout de suite compris que le colis venait de mon père en voyant ce mot : Africa. Mon père a choisi d'habiter à l'autre bout du monde, dans un minuscule village d'un des plus grands pays d'Afrique, le Soudan. Mais ça, j'y reviendrai plus tard (j'en ai long à dire).

L'intérieur de la couverture est dédicacé. Je reconnais l'écriture de mon père.

À ma Victoria d'amour,
Pour faire de l'ordre dans tes idées,
Tes pensées toutes colorées.
Je sais que les derniers mois ont été difficiles,
Papa xx

Je ne sais pas si je saurai être assidue, je veux dire, si j'aurai vraiment envie de raconter ici, dans ces pages, des choses bien personnelles (parce que l'intérêt de tenir un journal intime, c'est d'y écrire des trucs qu'on ne confierait pas à d'autres, non ?). Et pour être bien franche, je me demande si les derniers mois – qui ont chamboulé toute ma vie, soit dit en passant – se traduiront bien au bout de mon crayon.

Je n'en sais rien.

Mon père me dit tout le temps : « La pire chose, Victoria, c'est de faire des promesses qu'on ne pourra pas tenir ! »* Alors je tiens à préciser ici que je ne promets rien ; je vais ESSAYER de tenir un journal.

Allez, il faut bien commencer quelque part.

Je me lance !

* Note

Mon père a marié ma mère, ce qui fait de lui, techniquement parlant, quelqu'un qui ne tient pas ses promesses (parce que oui, comme 47 % des couples québécois, mes parents sont divorcés).

22 mai, 19 h 36
À la maison

Ma mère.

Entre elle et moi il y a vingt-huit années d'écart. Vingt-huit années, c'est long.

Un désert.

J'en parle parce que parfois, j'oublie que ma mère n'a pas toujours été ma mère et qu'elle a déjà eu quatorze ans, elle aussi. Quatorze ans, les dents croches, des boutons au dos et des rages de chocolat pas possibles. Quatorze ans et des rêves juste à elle, avec un cœur brisé (puis recollé parce qu'elle a rencontré mon père), puis re-brisé (parce qu'il l'a quittée pour aller vivre en Afrique, comme je l'ai dit). J'oublie que ma mère a déjà eu une vie devant elle, quoi.

Ma mère est comme beaucoup de mères : elle ne rêve plus. Alors je rêve pour elle. En attendant. En attendant de savoir si elle ira mieux. Parce qu'entre elle et moi, il y a, en plus des vingt-huit années d'écart, un cancer.

*** Un cancer, c'est la chose
la plus laide du monde. ***

Avant d'être un cancer, ma mère était une mère. Et avant d'être une mère, ma mère voulait être actrice. Un genre de Sylvie Drapeau mais en mieux, parce que maman a les cheveux blonds et que le blond est le summum de la féminité, enfin je trouve. Sylvie Drapeau, c'est une actrice de théâtre. Ma mère dit que c'est la plus grande comédienne québécoise de tous les temps (sans tout le fric qui vient avec et les photos dans les magazines à potins parce que le théâtre est une affaire de cœur, c'est ma mère qui dit ça).

Avant son cancer, ma mère me sortait en ville tous les jeudis soir, pour aller au théâtre. On prenait le pont Jacques-Cartier parce qu'elle est convaincue que ce n'est qu'une question de temps avant que le pont Champlain s'effondre et pense que tous les gens qui le prennent sont des ignares (ça veut dire inconscients, mettons). On habite à Brossard, ça aurait été beaucoup plus logique pour nous de prendre le pont Champlain, mais ma mère est une femme de principes. On se tapait donc dix kilomètres en trop sur la 132 pour filer vers le quartier chinois, où on allait manger une soupe tonkinoise en vitesse avant chacune des représentations. On allait même aux soirs de première, quand on arrivait à dénicher des billets. C'est gratuit ces soirs-là et un tas de gens importants sont présents dans la salle, alors pour faire chic et parce qu'on a juste une vie, ma mère et moi on s'habillait de manière grandiose. Elle avait un vrai don pour dénicher des robes extravagantes mais pas chères! Pareilles à celles qu'on voit aux Oscars (celles des Américaines trop maigres dedans). Ça faisait effet parce que souvent, les spectateurs assis dans la salle se retournaient sur notre passage avec les yeux de gens qui auraient aperçu des vedettes de cinéma étrangères. On avait l'allure de deux vraies stars italiennes! Non, mieux, suédoises. On était franchement exotiques. Enviables, l'une au bras de l'autre. En fait, on volait même un peu la vedette aux acteurs de la pièce, surtout quand ma mère oubliait de fermer son cellulaire et qu'il sonnait au beau milieu d'une scène émotive!

Ma mère est une artiste et les artistes sont des gens lunatiques, c'est connu.

Ce soir, c'est jeudi. Je suis à la maison et je me fais cuire un œuf à la coque. Je n'aime pas les œufs à la coque. C'est sec et je me brûle toujours les doigts en voulant retirer la coquille, mais je n'ai pas le choix parce que les jeudis je dois m'occuper de ma mère toute seule et me faire à manger toute seule. Les autres soirs, il y a Marie-Marthe, son infirmière, qui est là pour s'occuper d'elle. Mais Marie-Marthe a un mari et des enfants, alors une fois par semaine elle prend congé de nous et s'occupe d'avoir une vie à elle. Alors c'est moi qui dois nourrir ma mère et lui donner sa ribambelle de médicaments et changer son sac de pipi qui est soudé à sa vessie 24 heures sur 24. C'est marrant comme on peut haïr une chose qu'on a tant aimée.

Je déteste les jeudis. Si je pouvais les faire disparaître, tous, je le ferais en moins de deux et les semaines auraient six jours et je ne serais plus jamais toute seule à la maison avec mon œuf sec.

Assise devant mon œuf et un pot de mayonnaise, je lis *Les Misérables*, de Victor Hugo. C'est franchement long, mais je le lis parce que mon ami Victor m'a dit que c'est le plus grand chef-d'œuvre littéraire de l'humanité. Victor pense qu'il y a des livres comme celui-là qu'il faut avoir lu dans la vie pour pouvoir dire, au milieu d'une conversation : « Oui, *Les Misérables*, je connais et j'ai lu. » Victor, c'est mon ami, mon seul ami. Je trouve qu'il est moins ennuyant que les autres de mon âge (à vrai dire, Victor n'est pas ennuyant du tout). On s'est rencontrés parce que nos parents nous ont inscrits dans la même agence de casting : l'agence Bémol majeur (pas très gagnant comme jeu de mots, je sais !). Mais l'important c'est que, sans l'agence Bémol majeur et sans Marie-Ginette, notre agente, je n'aurais jamais rencontré Victor.

À part l'agence, Victor et moi on a un autre point en commun. C'est *Une famille à l'envers*, le prochain film de Yann Thomas, un réalisateur très connu qui insiste pour qu'on prononce bien le « s » à la fin de Thomas (ça fait Thomasssss). Victor et moi on a tous les deux passé une audition pour jouer dans le film. Comme c'est souvent le cas, les producteurs ont mis une ÉTERNITÉ à prendre leur décision et n'ont pris la peine de téléphoner qu'aux acteurs qui ont été retenus. Je sais que Victor a décroché le premier rôle parce que Marie-Ginette est absolument in-ca-pa-ble de garder un secret ! C'est son seul défaut, à Marie-Ginette, d'avoir une bouche aussi grande que son tour de taille.

Lundi soir dernier, elle n'a pas pu s'empêcher de me téléphoner à la maison pour me l'annoncer.

— Victoria ! Victor a décroché le rôle ! Dans *Une famille à l'envers* ! C'est-tu pas fantastique, hein ?

— Euh, ben oui, c'est l'fun pour lui.

— J'suis tellement excitée, je l'ai appelé trois fois ! Il va me trouver groupie hein, si je le rappelle une quatrième fois pour le féliciter, tu penses ?

— Oui, je pense que trois fois c'est largement assez. Euh, Marie-Ginette, tu m'appelles vraiment pour me dire ça ?

— Non ! Non, c'est vrai ! J'ai quelque chose à te dire, à toi aussi ! Victoria, ma belle Victoria, tu fais partie des cinquante finalistes ! Les cinquante finalistes, te rends-tu compte ? Je vais te rappeler pour te donner les détails, mais relis le scénario parce que l'audition finale a lieu dans deux semaines !

— Je fais partie des cinquante finalistes ? Pour vrai ? Allô ? Marie-Ginette ?

Sur le coup, j'avoue que je n'ai pas su comment accueillir la nouvelle ; c'est que je rêve depuis TOUJOURS de jouer avec Victor ! Bon, la vérité c'est que lui et moi on a déjà été engagés sur le même plateau il y a un an, mais que j'ai décidé que ça ne compterait pas parce que c'était pour tourner la plus MAUVAISE publicité de l'histoire ! C'était pour une grosse chaîne d'épiceries. J'incarnais une punk qui déambulait dans l'allée d'un commerce avec des tatous ridicules partout sur le corps, et mon action consistait à m'approcher grossièrement de Victor pour l'embrasser sur la bouche. Même s'il était entendu que la caméra couperait avant que nos lèvres ne se touchent, j'étais pétrifiée, complètement paralysée à l'idée que Victor puisse s'imaginer que, dans la vraie vie, je sois capable d'un baiser de ce genre, un baiser sans classe, un baiser de moins que rien. J'avais peur, en gros, que cette histoire le répugne et ruine toutes mes chances avec lui ! C'était Yann Thomas qui nous dirigeait et je me souviendrai toute ma vie de ce qu'il a osé me dire ce jour-là.

— Victoria, t'es pas assez *badass* ! Je veux que t'aies l'œil espiègle. Je veux que tu sois délinquante. Mets du punk dans ton œil. Fais comme Victor ! C'est loin d'être un *badass*, mais on y croit !

Dans cette allée d'épicerie, sous le regard condescendant de Yann Thomas et de sa caméra, j'aurais voulu qu'on soit Rose et Jack dans *Titanic*, mais je n'ai été capable d'être rien d'autre qu'une punk ridicule avec des *skinny jeans* en cuirette noire !

Alors (pour en revenir à *Une famille à l'envers*), savoir que mon jour de chance est peut-être enfin arrivé ajoute à cette dernière audition une dose de stress supplémentaire dont je me serais bien passée. Oui parce que si tout se déroule bien le 6 juin, c'est peut-être moi qui jouerai le rôle d'Alix, qui est aussi un rôle principal ! Ce serait vraiment quelque chose, de jouer dans un film avec Victor.

Victor n'oublie jamais une seule ligne de texte et il a ce don de savoir exactement comment se placer pour que la lumière frappe son visage anguleux au bon endroit. Il ne s'appelle pas Victor BEAUREGARD pour rien ; il sait comment être le plus beau. C'est naturel chez lui. C'est normal, il joue dans des publicités et des émissions depuis qu'il est tout petit. Et sans compter que ça fait quatre ans déjà qu'il a incarné Louis, le personnage vedette de la quotidienne la plus regardée sur BAM-TV: *Poly-po-poli*! Toutes les adolescentes de la province sont littéralement en deuil depuis que la chaîne télé a annoncé que l'émission, faute d'argent, ne serait pas reconduite pour une cinquième année devant les caméras. Mais je tiens à le préciser, pour moi tout ça n'a AUCUNE importance; c'est Victor qui m'intéresse (et non ce Louis, qui n'est qu'un personnage.)

En ce qui concerne ma propre cote de popularité, je dois dire qu'à l'échelle provinciale elle est plutôt... nulle. (À vrai dire, je ne suis même pas certaine que tous les élèves de mon école soient au courant de mon existence.) J'ai tout de même quelques tournages à mon actif; j'ai décroché mon premier contrat de publicité à l'âge de six ans. C'était pour une annonce de sirop contre la toux et j'avais seulement huit mots à dire: « Maman, ça fait mal ! Ça fait trop mal ! » (J'imagine que le domaine du sirop contre la toux est très lucratif, parce que j'ai été payée deux mille dollars juste pour dire la même phrase soixante-douze fois devant la caméra.)

Mais des fois, il m'arrive de me demander si j'ai obtenu mes rôles grâce à tante Anna, la sœur de maman, qui est directrice chez Ciné-mania, l'une des plus importantes boîtes de production de fiction à Montréal. C'est du moins ce que la plupart des autres comédiens racontent à mon sujet. Le nombre de moqueries que j'ai entendues depuis que je suis toute petite, du genre « Victoria la princesse, Victoria la fille à sa tante, Victoria la voleuse ! », même. Tante Anna dit que ces moqueries sont de la jalousie déguisée, rien d'autre. Elle dit aussi que pour réussir dans la vie, on doit apprendre à devenir imperméables aux choses que disent les gens à notre sujet. Tante Anna, alias Cruella – c'est comme ça que tout le monde la surnomme, dans le milieu –, est une femme redoutable en affaires. Elle doit bien porter un double imperméable pour être à l'abri de ce que les gens pensent d'elle. Son immunité lui permet de faire ce qu'elle veut, quand elle le veut et avec qui elle le veut. Mais je ne suis pas comme tante Anna. Enfin, je ne crois pas.

Parfois, je me demande où ils vont dans la vie, ceux qui s'intéressent à ce que les autres pensent.

Je le dis du tac au tac parce que ça me traverse l'esprit ; Victor s'appelle Victor et le personnage dans *Une famille à l'envers* s'appelle Hugo ! Quand on le dit vite, ça fait : Victor Hugo. Comme l'auteur des *Misérables* ! Ce n'est pas banal ! Rien de ce qui concerne Victor Beauregard n'est banal.

Le tintement strident d'une clochette me fait sursauter et me ramène à mon œuf et surtout, loin de Victor. C'est ma mère. Pour m'appeler après une certaine heure le soir et ménager sa gorge asséchée par les médicaments, elle utilise une petite cloche qu'elle fait retentir depuis son lit, qui est installé au milieu de ce qui était auparavant notre salon, mais qui est devenu une vraie petite chambre d'hôpital (avec des appareils médicaux aux noms aussi longs que les descriptions de Victor Hugo). Ma mère s'adresse à moi avec son filet de voix habituel.

— Ma pinotte, t'as envie qu'on se commande une soupe tonkinoise et qu'on écoute les auditions d'*Une famille à l'envers* ensemble ?

Ma mère me demande ça parce que ce soir, à BAM-TV, on passe les auditions des cinquante finalistes d'*Une famille à l'envers* et qu'on m'y verra puisque, comme Marie-Ginette me l'a appris lundi dernier, j'ai été sélectionnée. Je ne suis pas contre le fait d'écouter l'émission et je suis même assez curieuse de la regarder parce que c'est quand même pas rien d'être finaliste à *Une famille à l'envers*, enfin je trouve. Mais la perspective de nous imaginer, elle et moi, dans nos pyjamas respectifs, une soupe tonkinoise tiédie sur les genoux, au milieu notre salon déguisé en chambre de malade, ne laisse rien présager de bien excitant. Rien comme une première de théâtre, en tout cas.

Ma mère me regarde avec son sourire fatigué au milieu du visage et attend ma réponse.

— Ouin, on pourrait faire ça, que je lui dis.

J'ouvre la télé, puis je m'allonge à côté de ma mère. Je me colle contre elle, dans ce qu'il reste de place sur son lit. Le corps chétif qui me frôle, ce n'est pas le sien. C'est celui d'une femme de deux cents ans. Les bras qui y sont greffés et qui dépassent de la couverture de flanelle, des bras sans tonus et sans muscles, bleuis par des piqûres de seringues trop récurrentes, ce ne sont pas ceux d'une mère. Pas ceux de la mienne, en tout cas, et encore moins ceux d'une actrice du calibre de Sylvie Drapeau. Le générique d'*Une famille à l'envers* débute, mais le téléviseur me renvoie des sons qui sonnent comme du chinois. Des sons qui sonnent comme rien. J'ai la tête et le cœur à l'envers, et la soirée s'annonce longue. Je ronge mes ongles, comme je le fais souvent quand quelque chose me taraude. Mais voilà qu'on me voit à la télé. Un gros plan. Un plan énorme. Rien qu'avec mon nez, je dois remplir le tiers de l'écran ! Ma mère se redresse, comme pour ne rien manquer. Elle a les yeux mouillés. Mouillés de quelque chose qui ressemble à du bonheur. Je sais qu'elle est heureuse, parce que ma mère a l'œil droit qui sautille quand elle est heureuse. Ça fait comme un petit cœur qui bat, au-dessus de sa paupière. Un cœur de poulet, parce que c'est petit, un cœur de poulet.

Po-poum.
Po-poum.
Po-poum.

C'est bien un œil qui sautille que je vois. Puis, comme si elle avait attendu ce moment toute sa vie, ma mère me regarde et me lance une phrase assassine.

— Victoria, ma petite pinotte... t'es une actrice !

Ma mère sourit, comme si le cancer était allé emmerder une autre famille que nous ce soir, comme si le cancer avait eu pitié de nous dans nos pyjamas respectifs et notre couverture de flanelle et notre salon médical, et qu'il avait décidé de nous laisser à notre bonheur. J'ai lu dans un magazine, l'autre jour, que des gens plus chanceux que d'autres arrivent à guérir du cancer et que ça s'appelle la rémission. Ces gens disent qu'avec du positivisme, on peut vaincre le cancer. (Il en faut apparemment une sacrée dose pour que ça fonctionne.) Nul doute : c'est bien du po-si-ti-vis-me que je vois au-dessus de la paupière droite de ma mère qui titille. Oui, c'est bien de la rémission en forme de petit cœur de poulet.

C'est jeudi soir et ma mère et moi on écoute la télé et j'ai un œuf dans le ventre. C'est jeudi soir et on ne prendra pas le pont Jacques-Cartier, on ne mettra pas nos robes extravagantes et on n'ira pas à une première de théâtre : ni ce soir, ni aucun des jeudis soir qui viendront. Je dois regarder les choses en face : ma mère ne sera peut-être plus jamais une Sylvie Drapeau aux cheveux blonds.

Mais elle aura une fille actrice.

C'est ce qui peut lui arriver de mieux.

Je peux faire ça pour elle.

Je serai si bonne, si parfaite, qu'on aura assez de positivisme pour convaincre tous les cancers du monde de nous foutre la paix pour de bon et on aura une rémission juste à nous.

Je serai impitoyable. Je serai imbattable et quiconque se dressera sur mon chemin lors des prochaines étapes d'auditions saura de quel bois Victoria Belmont de Brossard se chauffe, quand elle se chauffe ! C'est promis, juré, craché, si je me mens je vais en enfer ; je serai Victoria Belmont de Brossard, alias Alix dans *Une famille à l'envers* !

6 juin, 14h12
Ascenseur de l'édifice où se trouve Télégénik (la boîte de casting où se déroulent les auditions !)

D'aussi loin que je me souvienne, j'ai toujours aimé être dans un ascenseur. J'aime l'effet que ça fait, dans le bas de mon ventre, quand l'appareil monte plusieurs étages d'affilée ; comme un million de fourmis qui organiseraient une fête, dans le creux de mon nombril. Les meilleurs ascenseurs, ce sont ceux des grands édifices parce qu'ils sont plus rapides (ça prolonge l'effet). Quand je me sens impitoyable, j'appuie sur les boutons de tous les étages et je me sauve comme une flèche en me marrant. Je ne me retourne pas, par précaution, mais je sais que j'exaspère tout le monde parce que les adultes s'insurgent pour pas grand-chose en général. Un jour, j'actionnerai le gros bouton rouge qui se trouve en bas de tous les autres, celui en forme d'octogone sur lequel c'est écrit URGENCE et ce sera la catastrophe, mais pour l'instant je me contente des boutons de chaque étage parce que je manque encore de pratique pour prendre mes jambes à mon cou.

Je connais toutes ces choses sur les ascenseurs parce que j'en prends souvent, des ascenseurs. J'en prends toutes les fois où je me rends chez

Télégénik, une boîte de casting importante à Montréal. Ce matin, je me contente d'appuyer sur le bouton qui mène au huitième étage. Je n'ai pas le cœur à la catastrophe et encore moins à accueillir un million de fourmis au creux de mon nombril. C'est qu'aujourd'hui, c'est vendredi et je me rends chez Télégénik pour passer la toute dernière audition pour le film de Yann Thomas. Au lieu de me remémorer mon texte dans ma tête, comme je sais bien que je devrais le faire, je pense aux 8762 filles qui ont passé l'audition devant la webcam de leur chambre ou de la salle informatique de leur école et la même question me tracasse : pourquoi tante Anna aurait orchestré des auditions monstres à travers tout le Québec si le rôle d'Alix, comme elle me le répète sans arrêt depuis des mois, était « fait sur mesure pour moi » ? Tante Anna me cacherait-elle quelque chose ? Est-ce que ce serait possible que ce soit elle qui ait fait en sorte que je fasse partie des cinquante finalistes ?

Je pousse un grand soupir qui résonne trop fort pour l'espace restreint de l'ascenseur. C'est toujours ce que je fais quand je veux chasser une pensée de mon esprit. Ça me donne un petit air sûr de moi, mais en fait c'est tout le contraire. Je me trouve lamentable d'avoir pu oser imaginer un truc pareil. Je me trouve pathétique de ne pas être en mesure de croire que moi, Victoria Belmont, je puisse avoir assez de talent pour avoir pu accéder à la finale des auditions d'*Une famille à l'envers*, sans l'aide de ma tante ! Oui parce que si c'était vrai, ça voudrait dire que ce que les autres acteurs racontent à mon sujet – « Victoria la voleuse, Victoria la princesse » et tout le reste –, ce serait des moqueries fondées. Des moqueries méritées. Ça voudrait dire, surtout, que je ne vaux même pas huit mots dans une annonce de sirop contre la toux.

Ma mère dit souvent que dans ma tête, ça va à cent milles à l'heure. En ce moment, ma tête est un gros ramassis d'accidents potentiels et de carambolages d'idées. Ce ne sont plus des fourmis que j'ai, au creux du nombril, mais le poids d'une brique qui pourrait faire céder n'importe quel plancher d'ascenseur sous mes pieds. Les portes s'ouvrent et je sors de l'ascenseur parce que je suis venue passer l'audition pour le rôle d'Alix dans *Une famille à l'envers*, et que c'est maintenant que je dois foncer, ou jamais !

Même jour, 14 h 15
Hall d'entrée chez Télégénik

Je me retrouve devant Diane Huot, la secrétaire chez Télégénik. Diane est assise derrière son bureau de réceptionniste et griffonne quelques notes dans un agenda surdimensionné. Je soupire profondément pour lui signifier ma présence, mais elle lève l'index sans daigner me regarder. Je suppose que ce petit doigt arrogant, dressé à deux pouces de mon nez, est là pour m'indiquer d'attendre, mais je ne m'en vexe pas : Diane Huot déteste tous les comédiens du monde, et tous les comédiens du monde détestent Diane Huot. C'est qu'il y a trop longtemps pour que je m'en souvienne en détail, Diane était la grande vedette d'une série télévisée très populaire. On pourrait dire qu'elle était la Brigitte Bardot du petit écran québécois. (Bon, j'exagère un peu, mais disons que Diane Huot, c'était quelque chose à voir, une femme presque fatale !) Mais comme le bonheur a toujours une fin – c'est tante Anna qui dit ça –, celui de Diane s'est achevé le jour où son émission a été retirée des ondes. Oui, parce qu'à partir de ce moment, plus personne n'a vraiment fait attention à Diane, et Diane elle même a un peu oublié de faire attention à elle. C'est ce que tout le monde dit, en tout cas. À voir l'allure de son visage, morcelé de petits cratères (c'est l'alcool qui fait ça, je l'ai lu sur Internet), ou la texture crépue des cheveux qui lui restent sur la tête, je n'ai pas de misère à le croire. Diane a largué, en même temps que son bonheur, tout son charme ! Et depuis, elle nous déteste plus que tout, nous, les comédiens.

Je reste là, sans bouger, toujours cet index dressé à deux pouces de mon nez, à imaginer une Diane Huot qui aurait été fleuriste ou hygiéniste dentaire ou bibliothécaire même. Une Diane Huot heureuse et gentille, avec une peau douce et lisse, une peau sans cratères. Diane me sourit mièvrement et me tend une fiche d'audition.

— Youhou miss ! Tu mets ton nom ici, l'heure, la date, tout le tralala que tu connais déjà et tu t'assois dans la salle avec les autres.

— J'ai pas de crayon Diane, tu me passes un des tiens ?

J'ai bien un crayon dans mon sac, mais j'aime engager la discussion avec Diane.

— Je prête pas mes crayons. Tu le sais très bien, Victoria. Les germes d'adolescente, ça m'intéresse pas ! Va t'asseoir, je vais remplir ta fiche. Oh et enlève ton manteau tout de suite. L'eau dégouline partout sur le plancher, ma chère !

Diane soupire en jetant un œil autour d'elle : les corridors de l'agence, habituellement impeccables, sont souillés. Le temps n'est pas clément aujourd'hui et les comédiennes, accompagnées pour la plupart de leurs mères, arrivent détrempées.

Diane fait partie de ces gens qu'il vaut mieux ne pas contrarier dans la vie.

— D'accord. Merci... Diane Huot.

Je sais que je n'aurais pas dû dire « Diane Huot », mais c'était plus fort que moi d'être un peu arrogante. Les mains dans les poches, je m'éloigne de Diane qui me regarde d'une manière qui indique bien qu'elle est en colère. Encore.

Je pénètre dans la salle et, sans trop savoir pourquoi, je me mets à déambuler avec une démarche pleine d'assurance, une démarche de mannequin (un mannequin de chez Dior, peut-être). Je fais aller mes hanches de gauche à droite, comme si le fait de feindre une certaine confiance allait m'apporter le courage nécessaire. Le courage nécessaire pour ne pas prendre mes jambes à mon cou. Je sais bien que ça n'est pas possible, je ne ferais pas une telle chose, mais quand même. Je balaie les lieux du regard ; trois filles sont assises dans la salle. Je m'assois sur une chaise face à l'une d'entre elles. Je sais qu'elle s'appelle Charlotte parce que je l'ai vue à l'émission spéciale qui a été diffusée sur BAM-TV, il y a deux semaines. Une femme (sa mère sans doute) s'adresse à elle sans répit :

– Charlotte, jette ta gomme, veux-tu ?

– Charlotte, j'oubliais, j'ai mis de l'eau dans ton sac, au cas où !

Je ris de l'intérieur, comme il faut faire quand on rit de quelque chose qui n'est pas ouvertement drôle ; c'est que cette Charlotte et sa mère, elles sont identiques. On dirait deux poupées à la peau de porcelaine, l'une plutôt grande et l'autre, moyennement petite. Elles ont très exactement les mêmes cheveux châtains et abondamment bouclés, le même nez fin à l'embout retroussé (on croirait deux petites pentes de ski) et la même bouche en cœur avec un espace savamment dessiné entre les deux lèvres. Un petit intervalle parfaitement rondelet qui semble avoir été mis là pour leur permettre de respirer, sans avoir à remuer les lèvres. C'est très harmonieux, tout ça. Mais aussi très ennuyant. Cette Charlotte, avec ses pieds arqués vers l'intérieur, a l'air d'un petit pingouin. Pas tout à fait l'allure d'une vedette de cinéma, quoi. J'y pense et ça me fait sourire ; ses pieds, arqués vers l'intérieur, on dirait qu'ils forment un V à l'envers. Un V qui pointe vers moi.

V comme Victoria.
V comme Victoire.

Dans la vie, il faut savoir capter les signes qui nous sont envoyés et ce V, je le sens bien, est bel et bien le symbole prémonitoire du succès qui m'attend ! Par bonté de cœur, j'ai envie de leur dire, à ce petit pingouin et sa mère, de retourner tout de suite d'où elles viennent. Mais je m'abstiens de leur prodiguer quelque conseil que ce soit parce que ma tante apparaît dans le cadre de porte de la salle d'audition :

— Charlotte Lemieux ? C'est au tour de Charlotte Lemieux !

Je crois bien que mon cœur s'arrête de battre pendant un instant alors que je crois apercevoir, par la porte laissée entrouverte derrière tante Anna, nul autre que... Victor ! Marie-Ginette ne m'avait pas dit que ce serait lui qui donnerait la réplique lors des auditions ! Comment elle a pu négliger de me faire part d'un détail si CATASTROPHIQUEMENT important ? La porte se referme aussitôt, bien trop vite pour que je sois en mesure d'être certaine qu'il s'agit bien de lui ! Je dois impérativement savoir si Victor Beauregard se trouve dans cette salle ! Je pourrais bien perdre tous mes moyens lors de l'audition (on doit être préparés pour ce genre de chose).

Oui parce que quand Victor s'approche de moi à moins de deux mètres, c'est immanquable, je deviens rouge tomate. Je n'y peux rien. Tout le sang de mes veines converge vers ma tête et entraîne avec lui une bouffée de chaleur insupportable, qui ne fait qu'aggraver ma situation en me rendant plus rouge. C'est ce qu'on appelle un cercle vicieux : je deviens rouge, je le réalise, je panique et comme une amatrice, je deviens encore plus rouge ! C'est d'un pathétique !

Je me lève d'un bond, sans réfléchir, et je me dirige vers la salle d'audition comme si ma vie entière dépendait de cette information : est-ce que oui ou non, Victor Beauregard se trouve derrière cette porte ? Je pénètre dans la salle avec toute la détermination du monde et même plus encore si c'est une chose possible et je réalise brutalement, comme une douche froide qui s'abat sur mon ego surdimensionné du moment, que je viens d'interrompre l'audition de cette fille qui était assise à mes côtés, cette Charlotte-le-petit-pingouin. Ma honte s'exacerbe alors que je réalise l'hécatombe : c'est bien Victor qui donne la réplique aux auditions des filles. Je romps le silence qui règne sur la petite salle d'audition, un silence d'église, un silence de salon mortuaire, et je m'adresse à ma tante avec les seuls mots qui me viennent à l'esprit pour me fabriquer un prétexte à la hauteur de mon intrusion - tout à fait inappropriée - dans cette salle d'audition.

— Tante Anna, maman m'a téléphoné en catastrophe, ça semble pas mal grave cette fois, je te dis, elle devra rester au lit ce soir.

Je suis abjecte. Utiliser le cancer de ma mère pour m'extirper d'une situation gênante dans laquelle je me suis moi-même mise les pieds ! Je brandis mon cellulaire, comme pour donner plus de crédibilité à mon mensonge bidon. Tante Anna semble être la seule personne dans cette pièce qui ne soit pas complètement outrée par mon intrusion.

— Pas de problème, Victoria. On te mettra dans un taxi si je finis trop tard, on commandera une pizza ou n'importe quoi d'autre. Retourne dans la salle là. On est occupés ici ! qu'elle me dit.

Je hoche la tête. Je voudrais dire que je suis désolée, trouver les mots acceptables pour ce genre de situation et surtout, surtout, pour que Victor arrête de me dévisager : je ne suis pas un extraterrestre ! Je sors à reculons de la salle d'audition aussi vite que j'y suis entrée, le dos voûté, un sourire niais au milieu de mon visage qui, je le devine, doit être rouge extra-tomate ! Charlotte-le-petit-pingouin, je le sens bien à sa façon de me regarder, m'arracherait la tête si on était seules toutes les deux sur une île déserte. Heureusement pour moi, Montréal est une île pas déserte du tout. Je savais bien qu'une catastrophe s'annonçait...

Même jour, 15 h 44
Ascenseur chez Télégénik

— C'était pas super cool ce que t'as fait tantôt, Victoria.

Victor se tient à côté de moi dans l'ascenseur. Je n'ose pas me tourner vers lui, ça m'est physiquement impossible. Même si j'ai survécu à cette horrible audition - je n'ai pas oublié mon texte, comme je le craignais, mais j'ai été ARCHI-MOCHE, j'en ai la conviction -, je ne survivrai pas à un seul autre regard réprobateur de Victor ! J'observe les chiffres du tableau de l'ascenseur qui se trouve au-dessus de ma tête descendre au fil des étages, à l'image de mon moral qui dévale. J'essaie d'avaler le peu de salive que j'ai dans la bouche, mais j'ai la gorge rêche, du papier sablé. Je cherche à gagner du temps, pour trouver les mots. Les bons mots. C'est toujours ce que les acteurs de cinéma font dans les scènes dramatiques - prendre une pause grave et avaler un bon coup -, mais c'est complètement inutile : j'en suis la preuve vivante ! J'ai beau avaler, avaler, rien de particulièrement intelligent ne me vient à l'esprit.

— Je sais, j'ai plus trop les idées claires depuis que ma mère est malade.

Bon, fallait que je ramène le cancer (toujours le cancer).

J'ai un peu honte de le dire, mais Victor semble ébranlé. Du coin de l'œil, je remarque que ses lèvres me renvoient quelque chose qui ressemble à un sourire. Un sourire triste, empathique. Le sourire le plus virilement mignon que j'aie vu (ou imaginé) de ma vie. C'est au tour de Victor d'avaler de travers comme dans une scène dramatique.

— Ça va, ta mère ? Je veux dire, je sais que ça va pas super, mais dans les circonstances...

— Ben, elle a un rendez-vous chez son médecin demain pour avoir les résultats de ses derniers tests. Ses cheveux vont commencer à tomber bientôt, y paraît. Mais ça devrait pas paraître trop, trop, elle va s'acheter plein de perruques.

— Hum, y font des belles perruques de nos jours, ça devrait aller.

On se tait. Victor a cette manie de se gratter le derrière de l'oreille quand il est gêné. Ça me fait plaisir de sentir que Victor est gêné à mes côtés, ça veut peut-être dire qu'il me trouve un peu jolie. En tout cas, ça veut sûrement dire qu'il ne me déteste pas complètement à cause de l'incident de tantôt. Et ça me suffit. Je regarde nos reflets dans les portes de l'ascenseur. On est beaux à voir, tous les deux. Victor a très exactement une tête de plus que moi en grandeur.

C'est juste assez. C'est parfait. Je nous imagine bien dans dix ou vingt ans tous les deux, quand je serai devenue une vraie femme. Oui parce que quatorze ans est un âge ingrat, tout le monde sait ça. Depuis quelques mois, je suis gravement complexée par mes seins. Maladivement. Je suis un gros cliché ambulant ! Je sais bien que toutes les filles de mon âge sont insatisfaites de leur poitrine. Ça n'a rien d'original. Mais dans mon cas, c'est différent. Je ne trouve pas mes seins trop petits, trop pendants ou même trop gros : je les trouve simplement trop ABSENTS ! Je n'ai jamais rêvé d'une poitrine à la Dolly Parton (c'est une chanteuse américaine de country reconnue pour ses seins démesurés), mais je trouve totalement injuste que cette partie de mon corps ait oublié d'avoir sa puberté.

Si je n'étais pas si complexée, peut-être que je trouverais le courage de m'approcher de Victor avant que les portes de l'ascenseur ne s'ouvrent, peut-être que je trouverais le courage de l'embrasser follement, éperdument ! C'est souvent dans un ascenseur que les gens s'embrassent dans les films, non ? Alors, sans réfléchir, je fais un petit pas vers Victor. Un pas de souris, mais quand même. Ma main gauche frôle maintenant sa main droite. Un demi-centimètre me sépare de Victor, de sa main, de la dizaine de petites veines bleues qui la parcourent, comme un labyrinthe débouchant sur ses bras, puis vers son cou. Ses bras juste assez musclés, mais pas trop, son cou à l'odeur vanillée, son cou basané à longueur d'année. Dans ce lieu à fort potentiel érotique, ce demi-centimètre est un Grand Canyon à lui seul. Un Grand Canyon infranchissable.

Les portes de l'ascenseur s'ouvrent.

— Bye Victoria, qu'il me dit en m'envoyant la main, sans se retourner.

J'essaie d'avoir l'air détaché, mais sa capacité à s'éloigner de moi si facilement me tétanise.

— Hum, c'est ça, bye.

Victor s'éloigne.

Avec lui, l'odeur vanillée.

Le demi-centimètre se transforme en mètre, en kilomètre.

- CRUELLA -

Tante Anna fume des Du Mauriette 100 mm gold. Elle les consume les unes à la suite des autres sans jamais s'arrêter, si bien que je n'arrive pas à imaginer tante Anna sans une cigarette à la main. Elles sont devenues une extension d'elle-même, une extension au bout de ses doigts jaunis. Ça lui donne un air faussement sophistiqué. Comme Cruella, dans *Les 101 Dalmatiens*. Sauf que Cruella, elle, avait la décence de porter des gants pour fumer : ses doigts à elle, sous les gants, devaient être intacts. Tante Anna, c'est Cruella, sans l'élégance.

Les gens politiquement corrects sont ennuyants, alors je dis ce que je pense : c'est tante Anna qui aurait dû avoir le cancer.

28 juin, 7 h 55
Trois semaines après l'audition ratée...

Je devrais être en train de célébrer le début des vacances d'été ce matin (boire un grand verre de lait au chocolat et lire des *Archie* en pyjama sur le balcon toute la journée), mais je ne peux pas. Je ne peux JAMAIS faire ce que toutes les adolescentes normales du monde font. Non, parce que moi, Victoria Belmont, j'ai une mère malade.

MALADE

Ce matin, c'est moi qui dois accompagner maman chez le médecin. Habituellement, c'est tante Anna qui s'en charge, mais depuis trois jours, tante Anna passe toutes les minutes de toutes les heures de sa vie à se confondre en excuses auprès du grand patron de Cinémania, son seul supérieur en fait, un certain Arthur Lachaise. Monsieur Lachaise habite un quartier huppé de Paris et ne se déplace apparemment que pour deux raisons dans la vie : quand il y a de grands événements (mondains), ou encore, pour gérer toute situation exceptionnelle (sous-entendu : une catastrophe) en lien avec Cinémania. Monsieur Lachaise est assurément très en colère contre tante Anna pour s'être farci les 5512 km qui séparent Montréal de Paris.

Quoi qu'il en soit, tante Anna me téléphone en panique ce matin et m'annonce, avec toute la finesse dont elle est capable, que ce n'est pas moi qui vais camper le rôle d'Alix dans *Une famille à l'envers*.

— Victoria, c'est tante Anna. Bon, ma pinotte, faut que je te dise, y a rien à faire. Le réalisateur du film tient absolument à ce que ce soit une certaine Charlotte Lemieux qui joue le rôle d'Alix. Ce rôle-là était fait pour toi, tu le sais bien, mais le réalisateur menace de se retirer du projet si on lui impose une autre comédienne! J'ai pas le choix! Il s'est même permis de téléphoner directement à monsieur Lachaise! À Paris! J'en reviens pas encore. Monsieur Lachaise est dans tous ses états. Comme si j'avais besoin de ça en ce moment! Victoria? Victoria, t'es toujours là, hein?

Je suis subjuguée. Charlotte-le-petit-pingouin? C'est Charlotte-le-petit-pingouin qui a décroché le rôle d'Alix dans *Une famille à l'envers*?

— Mais, tante Anna... C'est pas possible, je pensais qu'elle avait raté son audition à cause de moi?

Je n'ai pas envie de remémorer à qui que ce soit cet épisode désastreux de ma vie, mais je ne peux pas croire qu'après mon intrusion dans la salle d'audition, cette pseudo-actrice ait pu charmer Yann Thomas !

— Pas tout à fait, non. Quand t'as refermé la porte, Victoria, la petite savait plus du tout où elle en était ! Elle se souvenait plus de son texte et elle s'est mise à improviser, à inventer des lignes de dialogues. Victor a joué le jeu avec elle et, depuis ce temps-là, Yann Thomas semble penser qu'il a mis la main sur les Roméo et Juliette du grand écran québécois ! Jamais un réalisateur a osé me tenir tête comme ça, Victoria, jamais !

La blondinette au nez en pente de ski avec son pot de colle de mère : la Juliette du grand écran québécois ? J'éloigne le combiné de mon oreille et, sans qu'aucun son ne sorte de ma bouche, je fais mine de crier de toutes mes forces !

— Ma pinotte, on va te trouver un petit quelque chose dans le film. Il y a deux ou trois rôles de fille qui pourraient bien t'aller. Hein ? Hein, tu comprends ce que je te dis, Victoria ?

Soudain, le silence dans notre conversation. C'est rare du silence, avec tante Anna.

— Je dois aller chez le médecin avec maman, faut que je raccroche, tante Anna.

— Oui, oui c'est vrai, vas-y. Merci de me remplacer pour ce matin, mon lapin. Bye, mon lapin.

Je ne suis pas son lapin, sa pinotte, je suis son RIEN-DU-TOUT ! Si elle pense que je vais accepter un petit rôle moche dans son film à la noix !

Je raccroche le combiné et pars rejoindre ma mère qui m'attend dans un taxi depuis déjà au moins cinq grosses minutes. Même si elle est fatiguée, elle est de bonne humeur (comme d'habitude) et me parle du beau temps qu'il fait (comme d'habitude).

— L'été, c'est quand même extraordinaire, tu trouves pas, Victoria ? Les oiseaux, les odeurs qui se confondent et tout le vert qu'on voit partout, ça-fait-du-bien !

Ma mère semble réaliser que je ne partage pas son enthousiasme matinal. Elle me scrute avec ses yeux de détective privé. Je déteste quand elle fait ça. On dirait qu'elle fouille en moi avec tous les codes d'accès possibles et imaginables.

— Victoria, qu'est-ce qui se passe ?

Ma mère me connaît trop bien. Je suis dans le taxi depuis quoi, dix-sept secondes ? Et elle s'aperçoit déjà de mon tourment. Mais je ne peux pas lui annoncer la nouvelle. Elle en serait dévastée. Cent fois plus que moi.

— Rien. Rien d'important, que je lui dis.

— Victoria, je sais quand tu me caches quelque chose. Qu'est-ce qui se passe, mon coco ?

— C'est juste que... tante Anna a téléphoné. Elle a téléphoné pour dire, pour hum, m'annoncer...

— Ben, vas-y, dis pourquoi elle a téléphoné, pour t'annoncer quoi ?

— Ben, pour m'annoncer que c'est moi qui ai décroché le rôle d'Alix... dans *Une famille à l'envers*.

NOOOOOOON !

EST-CE-QUE-JE-VIENS-DE-DIRE-CE-QUE-JE-PENSE-QUE-JE-VIENS-DE-DIRE ?

J'ai osé mentir à ma mère ? Allez, Victoria, t'es bien partie, continue ton histoire !

— C'est un peu drôle comme affaire, mais j'ai... j'ai oublié mon texte, pendant l'audition. J'étais nerveuse, j'imagine. Un gros trou noir, là, tsé ? Du coup, je me suis mise à improviser et Victor aussi. On avait une chimie incroyable, il paraît, et le réalisateur a trouvé ça hyper intéressant. Il nous a même comparés à Roméo et Juliette, ben en version québécoise, là...

Je fixe le sol. Je veux à tout prix éviter que mon regard ne croise celui de ma mère. Je suis vraiment dans le pétrin. Quelle imbécile je suis ! C'est évident qu'elle sait que je lui mens : tante Anna doit déjà lui avoir annoncé que je n'ai pas décroché le rôle !

— Mais Victoria ! C'est donc une belle nouvelle, ça ! Que t'aies eu le rôle, c'est fantastique, mais que ce soit parce que t'as improvisé, c'est vraiment, vraiment épatant !

Je me sens sale, dégoûtée par ma lâcheté. Ma mère ne savait donc pas. Elle a les yeux inondés. Des larmes de bonheur. Des larmes pleines de mes mensonges. Je voudrais que ce moment n'ait jamais existé. Je voudrais une machine à voyager dans le temps, une fusée hyper puissante pour filer bien haut et bien loin, un trou noir pour m'aspirer de cette voiture et m'emporter pour toujours. Mais rien à faire, ma mère repart de plus belle. Dans l'émotion du moment, elle me dit une chose qui me fait l'effet d'un coup de poignard dans le cœur. C'est toujours les petites phrases anodines qui font le plus mal : quelques mots, huit ou dix suffisent, généralement.

— Victoria, je dois dire que ça m'est déjà arrivé de penser que peut-être, comment je pourrais te dire ça mon coco, peut-être que t'avais obtenu certains rôles grâce à tante Anna, tu sais... Mais je pense que cette fois, tu peux vraiment dire que tu mérites ta place !

Les mots de ma mère s'impriment quelque part dans ma tête, sans pouvoir trouver leur chemin jusqu'à mon cœur. On appelle ça une barrière psychologique. La tête reçoit un grand coup de lucidité et s'arrange pour que le cœur, trop mal préparé, ne se rende compte de rien.

Ce serait donc vrai, ce que tout le monde raconte à mon sujet ? Je serais une sorte d'imposteur, même aux yeux de ma mère ? Le taxi s'immobilise devant l'hôpital. J'ai le cœur en compote mais ma mère, elle, sifflote comme si on s'apprêtait à passer un bel avant-midi mère-fille. Comme si on s'en allait acheter des fleurs ou faire un pique-nique sur le bord du Saint-Laurent, ou un truc du genre.

P.-S. : J'imagine que ce n'est pas notre rencontre de ce matin avec le Dr Grimard qui pourra me remonter le moral.

Même jour, 10 h
Hôpital Pierre-Boucher

Folfox, 5 mg
Oxaliplatine, 2mg
Cisplatine, 2 mg
5-FU, 7 mg

J'ai appris par cœur le nom et la dose de tous les médicaments que maman se fera administrer pour les six prochains mois, à toutes les deux semaines. Et c'est sans compter les antinauséeux, les antivomitifs, la cortisone et toutes les autres potions pharmaceutiques qu'elle devra prendre avant chacun de ses traitements. Je me demande qui sont ceux qui choisissent les noms de tous ces médicaments. Ce serait vraiment plus motivant pour les patients de se faire prescrire, par exemple, 6 mg de « Remontant pour les globules blancs », ou encore 2 mg de « Éradiquez le cancer de votre vie ! ». Les gens du monde médical ne semblent vraiment pas avoir plus d'humour qu'un directeur de salon funéraire. Folfox : un mot qui sonne comme rien, composé avec la lettre la plus rejet de l'alphabet, le *x* !

Ma mère et moi, on attend depuis quarante-huit minutes dans une salle réservée aux gens comme nous (les cancéreux ou les familles des cancéreux) quand la voix robotique de l'intercom nous interpelle enfin : « Madame Violette Grenier-Belmont, salle deux, fauteuil quatorze. »

J'ai appris bien vite que le « thérapie » de « chimiothérapie » ne rime en rien avec quelque soulagement ou bien-être que ce soit. Par pudeur, je n'ai pas envie de raconter ce qui se passe quand on revient à la maison, juste après la rafale de traitements, mais disons qu'un véritable tsunami s'abat sur notre vie tout entière – particulièrement dans l'estomac, le cœur et la tête de ma mère. Je n'ai donc pas spécialement hâte qu'elle reçoive sa dose de chimiothérapie ce matin.

Je l'écris, à défaut de pouvoir le dire à ma mère :

JE DÉTESTE CET ENDROIT.
JE DÉTESTE CET ENDROIT.
JE DÉTESTE CET ENDROIT.

Oui, je déteste l'aire d'oncologie de l'hôpital Pierre-Boucher. Je hais la lumière froide des néons au-dessus de nos têtes et, plus que tout, l'odeur de chlore et de latex qui nous colle à la peau pendant des heures. Ici, c'est bien simple, tout semble avoir été conçu pour que les malades aient envie de guérir le plus rapidement possible (pour ne plus jamais avoir à revenir).

Au moment où on pénètre dans la salle numéro deux, la voix joviale et nasillarde d'un homme vêtu d'une chemise aux couleurs criardes et d'un nœud papillon, me fait sursauter. C'est le Dr Grimard, l'oncologue de maman. Le Dr Grimard a l'air d'un clown. Un clown déguisé en docteur. Il a les rides de quelqu'un qui a beaucoup souri dans la vie – les gens qui rient beaucoup ont de petites lignes gravées tout autour de la commissure des lèvres –, ça ne trompe pas. Ses pupilles sont deux petits lacs opaques, voilés, hermétiques au reste du monde. Les gens qui ont l'air heureux sont toujours un peu mystérieux, je trouve.

— Violette ! Vous avez l'air en forme ce matin. Suivez-moi.

Ma mère s'empresse d'aller rejoindre le Dr Grimard dans son bureau. Elle s'assoit, droite comme une écolière. Droite comme si sa posture avait une quelconque chance d'influencer le diagnostic qu'elle s'apprête à recevoir ce matin.

— Je vous ai toujours promis que je vous raconterais pas d'histoires, Violette. Je vais pas tourner autour du pot, on a affaire ici à un cancer très, très agressif. Il y a rien d'irréversible, bien sûr, mais les métastases ont continué de progresser, malgré les premiers traitements de chimiothérapie, vous me comprenez ? Votre cancer de la vessie, Violette... s'est propagé jusque dans vos reins.

Le Dr Grimard pointe quelques taches grisâtres sur une radiographie des reins de ma mère.

— Ici. Et là. Puis là, et là encore.

Je cache mes oreilles avec mes mains et je me mets à chanter très fort :

— Na-na-na-na-na-na-na-na-na !

Puis, sans réfléchir, je prends mes jambes à mon cou et m'évade du bureau, de la salle d'attente, de l'édifice, du stationnement de l'hôpital. Je suis à bout de souffle, à bout tout court. C'est tante Anna qui accompagnera maman à ses prochains rendez-vous médicaux. Je ne veux plus jamais revoir cette salle numéro deux ou ce fauteuil numéro quatorze ou ce docteur au nœud papillon.

27 juillet, 20 h 20
Veille de ma première journée de tournage

Depuis l'incident dans le cabinet du Dr Grimard, ma mère et moi on n'a plus reparlé du cancer. Vingt-huit jours ça fait. Vingt-huit jours comme des vacances, comme un armistice entre le corps de ma mère et notre vie de famille, ou ce qu'il en reste. Parce que depuis que papa est parti – il y a très exactement un an –, notre famille s'est réduite à ma mère, moi et Edgar, mon poisson rouge. Ce qui est bien avec Edgar, c'est qu'il ne parle pas. Je ne peux donc rien lui dire et par définition, je ne peux pas lui mentir. Notre relation, quoiqu'un peu limitée, reste intacte. Pas comme ma relation avec ma mère, qui est devenue un tas de mensonges éhontés. Depuis que je lui ai menti dans la voiture à propos des auditions, j'esquive son regard, je l'évite du mieux que je peux. C'est que mon mensonge « Maman j'ai décroché le rôle principal d'Alix grâce à une improvisation », mensonge qui était à l'origine tout petit, microscopique et tout à fait réversible, est devenu immense, immonde, beaucoup trop lourd à porter pour mes épaules !

Pour faire une histoire courte, tante Anna m'a contactée il y a un peu moins d'un mois pour me dire qu'elle m'offrait le rôle de Noémie dans *Une famille à l'envers*. Et, même s'il s'agissait d'un petit rôle (bien trop secondaire), j'ai accepté d'emblée (quelle conne je suis), en songeant au fait que cela m'éviterait d'avoir à dire la vérité à ma mère. Je tenais là le prétexte rêvé : quand je m'absenterais lors des jours de tournage, maman serait certaine que ce serait pour aller tourner des scènes d'Alix, le personnage principal (et non de Noémie) !

Les choses se sont corsées quand j'ai réalisé, il y a deux semaines, qu'une deuxième émission spéciale sur *Une famille à l'envers* allait être diffusée sur BAM-TV et qu'on y révélerait IMMANQUABLEMENT le visage de celle qui incarnera Alix ! C'était bien simple à comprendre : si ma mère parvenait à écouter l'émission, elle saurait que je lui ai menti !

Mais par chance, le soir même de la diffusion, ma mère se sentait trop fatiguée pour écouter l'émission. Elle m'a alors demandé de programmer l'enregistreuse de la télévision, me disant qu'elle la regarderait à la première heure le lendemain. J'ai honte de le dire, mais – je n'avais pas le choix ! – je me suis levée en pleine nuit pour aller effacer tout le contenu de l'enregistreuse (et, sans faire exprès, six heures télé de *Ricardo*). Ma mère n'a donc pas pu voir l'émission comme prévu, le lendemain matin, et mon mensonge est resté... intact.

Mon plan a bel et bien fonctionné et ma première journée de tournage a lieu demain. Misère, Victoria !

Ma mère cogne à la porte de ma chambre. Elle insiste depuis des jours pour qu'on répète quelques scènes toutes les deux. Je vois sa main qui s'agite dans l'ouverture de la porte. Une sorte de marque de respect de sa part, comme pour m'indiquer qu'elle n'entrera pas sans ma permission.

– Victoria, mon coco ! C'est demain le grand jour ! On fait une petite scène si t'es en forme pour ça ?

– Hum, oui oui, OK. Entre maman, on peut regarder ça.

Ma mère pénètre dans ma chambre à la vitesse de l'escargot. C'est que le Dr Grimard l'a convaincue de se déplacer avec une marchette dans la maison en lui disant un truc du genre : « Violette, croyez-moi, ça va vous permettre d'économiser vos forces. »

Ma mère atteint enfin le bout de mon lit. J'empoigne le cartable qui se trouve sur ma table de chevet et dans lequel se trouve le scénario du film, et je me mets à tourner les pages, à la recherche d'une énième astuce pour m'extirper de cette situation potentiellement houleuse.

— Euh, pas celle-là. Celle-là non plus. Ben, celle-là, on pourrait la lire, on la tourne demain matin.

Je pointe la seule scène du film qui se déroule entre Alix et Noémie. Ma mère jouera Noémie et moi Alix, bien sûr. Elle survole rapidement le texte des yeux.

— Bon, ça devrait pas être trop compliqué, cette Noémie a vraiment pas beaucoup de texte. Pas comme toi ! Mon Dieu, Victoria, t'as vraiment appris tout ça par cœur ?

Misère ! Je n'avais pas réfléchi à ce détail ; je ne connais pas le texte d'Alix par cœur, évidemment ! Tout m'indique que ce serait le moment opportun pour avouer la vérité à ma mère, mais c'est au-dessus de mes forces.

— Hum, oui, oui j'ai déjà tout appris. On tourne demain, maman, que je lui réponds. Tellement en fait maman, j'y pense, que j'ai peur que si on répète encore, les mots se brouillent dans ma tête.

Ma mère a l'air déçu.

— Maman c'est... c'est très sérieux tout ça, le tournage d'un film. Je suis un peu superstitieuse et on dirait que j'ai peur de répéter trop à la dernière minute et d'être toute mélangée, tu comprends ?

Elle me sourit, elle comprend. Ma mère comprend toujours tout. Elle regarde au ciel, comme elle fait quand elle se remémore une histoire lointaine. Je parie qu'elle va me raconter un souvenir poussiéreux du temps où elle était comédienne. Elle se glisse sous les couvertures, me colle comme elle le faisait quand j'étais toute petite.

— Tu me fais penser à Carl Dubuc, un acteur avec lequel j'ai joué dans *Le Malade imaginaire*, une pièce de Molière ! Carl ne voulait jamais répéter avec moi le jour même d'une représentation. Le soir de la première, j'étais tellement stressée que j'avais appris son texte en plus du mien, au cas où il aurait un trou de mémoire. Mais Carl a été fabuleux... Carl était...

Je ne l'écoute plus. Même si je les aime, d'habitude, ses vieilles histoires poussiéreuses. Je m'endors au son de sa voix et en essayant de ne pas penser aux émotions que me réserve assurément cette première journée de tournage qui m'attend demain !

28 juillet, 4 h 45
Tournage d'*Une famille à l'envers*, jour 1

Mon réveille-matin émet le son le plus désagréable de l'univers (en deuxième position après le grincement d'une craie sur un tableau).

BIP BIP BIP !*

* Traduction : Quatre heures trente ! Debout, Victoria Belmont !

Il fait encore bien noir, dehors. Le lampadaire en face de ma maison s'éteint et se rallume sans cesse. Un lampadaire indécis. J'adore me réveiller la nuit et sentir que toute la ville est endormie. Ça me donne l'impression de gagner du temps sur le reste du monde. Rien ne presse, la nuit. Pas de course folle. Pas de compétition. Juste des gens à l'horizontale, en trêve d'eux-mêmes.

J'assène un violent coup à mon réveille-matin et j'enfile un jeans et un coton ouaté à capuchon gris. J'ai l'air d'une cambrioleuse. Une cambrioleuse amateur parce que j'ai peur, la nuit. Même si je sais que le soleil s'apprête à se lever, j'ai peur par principe ; il fait noir donc c'est encore la nuit, un point c'est tout. Heureusement, dès que je mets les pieds dehors, j'aperçois les phares allumés de la voiture de production. Je me précipite dans la fourgonnette. Par professionnalisme, sans doute, Roger – le chauffeur que tante Anna engage sur tous les plateaux – conduit sans m'adresser la parole. Puis, comme s'il était seul au monde, Roger se met à fredonner les paroles d'une chanson d'Éric Lapointe : « Mon ange, il est temps que je change le visage de mon dieu ! » Comment quelqu'un peut être si enthousiaste à une heure pareille ?

La fourgonnette s'immobilise boulevard Saint-Joseph, devant l'église Sainte-Anne. Ce lieu fera office de « camp de base » pour la journée de tournage d'aujourd'hui, c'est-à-dire de point de ralliement. Le quadrilatère de tout un quartier a été pris d'assaut, assiégé par l'équipe du film ! Une dizaine de roulottes, de voitures de tous genres et de camions remplis de matériel (pour le son, l'éclairage, la caméra, la fausse pluie même !) sont stationnés aux abords des rues. Si je ne m'en venais pas affronter la pire journée de ma vie, je serais sans doute excitée par l'ampleur de l'affaire.

Je ne l'avais encore jamais dit, mais *Une famille à l'envers* raconte l'histoire d'Alix, une adolescente suicidaire qui intègre une famille d'accueil où habitent déjà deux autres jeunes qui ont des histoires abracadabrantes et pas très roses ! Moi, je joue le rôle de Noémie, la cousine d'Alix, mais aussi sa confidente le temps d'un week-end. UN SEUL PETIT MINABLE WEEK-END ! Quand je disais que le rôle de Noémie était secondaire !

J'aperçois cinq roulottes, stationnées à la queue leu leu. Sur chacune des portes se trouve un panneau sur lequel on a écrit les noms des acteurs. Évidemment, Charlotte possède une loge rien que pour elle, dans une roulotte rien qu'à elle, avec son nom écrit en lettres moulées à l'avant !

Charlotte Houle : Alix
N° 1

C'est écrit N° 1 sur la porte parce que Charlotte est le personnage principal. Difficile de l'oublier ! Ce qui veut dire que durant tout le tournage (je suis engagée pour six jours au total), je devrai passer devant cette porte et me rappeler que c'est cette fille – et pas moi ! – qui a décroché le rôle d'Alix.

Je me sens ici comme un éléphant dans une boutique de porcelaine. À la différence que l'éléphant, lui, s'il casse de la porcelaine, c'est par erreur. Moi, j'ai envie de tout casser ici, volontairement ! Absolument tout. J'ai envie de faire un ravage cinématographique.

La régisseuse de plateau m'interpelle.

— Victoria ? Victoria Belmont, c'est ça ?

— Oui, c'est moi.

— Je m'appelle Mélanie ! D'habitude, je suis plus sympathique, mais je vais être obligée de te presser un peu, on a pris du retard et la maquilleuse dit que ça va lui prendre une grosse heure pour t'installer ton appareil.

Cette Mélanie est d'une efficacité redoutable. Alors qu'on se dirige toutes les deux vers la roulotte du CCM (pour Costume, Coiffure, Maquillage), elle empoigne mon manteau, me tend les scènes du scénario qui seront tournées aujourd'hui et me dresse même un compte rendu des heures à venir. Je me méfie des gens trop productifs dans la vie.

— Euh Mélanie, c'est ça ? Tu parles de quel appareil au juste, c'est pas le sonorisateur qui installe ces trucs-là d'habitude ?

Mélanie m'ouvre la porte du CCM et m'invite à entrer.

— Mais non ! Je parlais des broches de ton personnage. C'est Linda qui va te les installer.

Mon corps se paralyse alors que je pénètre dans le CCM. Est-ce que j'ai bien entendu le mot :

B-R-O-C-H-E-S ?

J'ai dû mal entendre... Pourvu que j'aie mal entendu ! C'est un mauvais rêve, je vais m'en extirper et me retrouver dans mon lit douillet dans quelques secondes ! Je ferme les yeux et me concentre très fort. Si c'est un cauchemar, qu'il se termine ici :

5-4-3-2-1...

J'ouvre un œil, puis l'autre. Hélas ! Mélanie est toujours là. Son trop grand sourire aussi.

Linda, la maquilleuse, m'interpelle.

— Ouh ouh, Victoria ! On va commencer tout de suite, ma belle. Viens t'asseoir.

J'avance vers la chaise au ralenti, je m'y assois docilement. J'aperçois mon reflet dans le miroir. J'ai une allure de condamnée. Une condamnée avec des broches.

Même jour, 8 h 33
Tournage d'*Une famille à l'envers*, jour 1 (suite)

Je me suis faufilée dans l'appartement où se déroule le tournage. J'en avais assez qu'on ne vienne pas me chercher dans ma roulotte de personnage secondaire. Adossée contre le mur du corridor, je fais mine de lire une scène du scénario pour ne pas être dérangée. Toute ma journée sera orchestrée autour de cet unique objectif : ne pas avoir à ouvrir la bouche et ainsi exposer mon nouvel appareil dentaire.

En étirant le cou, j'aperçois Victor, assis à la table de la cuisine. La caméra est rivée sur lui. J'entends la voix de Yann Thomas :

— Prise 14, scène 22... Silence, on tourne... Et action !

Victor prend une bouchée de tarte aux pommes. Il s'exécute avec une précision chirurgicale, chaque bouchée étant portée à sa bouche au même instant de toutes les prises, c'est-à-dire chaque fois qu'il s'apprête à dire la réplique : « Alix, tu le sais que je suis là, si t'as besoin. » Victor fait ça - manger de la tarte - pour donner de la crédibilité à son personnage, pour faire plus vrai.

— Et c'est... coupé !

L'accessoiriste de plateau s'approche de Victor avec un bol métallique, de sorte qu'il puisse recracher discrètement sa bouchée. Charlotte, assise juste en face de Victor, semble vraiment nerveuse. Je la regarde bouger, j'observe ses moindres gestes, ses manies de comédienne débutante. Qu'est-ce que cette Charlotte peut bien avoir que je n'ai pas ?

Tout près de moi se trouvent une quarantaine de boîtes de tartes, empilées les unes sur les autres et toutes destinées à être mâchées, puis recrachées de la bouche de Victor. L'accessoiriste s'éloigne vers la cuisine, me laissant seule avec le bol. Je devrais éprouver de la répulsion pour toutes ces bouchées qui gisent là comme des corps morts, mais en fait, c'est tout le contraire ; alors que personne ne regarde, je me surprends à plonger ma main dans la mixture et à la porter à ma bouche ! Quelques résidus de pomme se coincent entre les fils métalliques de mes broches, mais ca m'est égal : ma salive se fusionne à celle de Victor. J'y pense et, c'est un peu comme si notre premier baiser avec la langue avait un goût de tarte aux pommes. C'est plutôt romantique, quand on y pense, un premier baiser au goût de tarte aux pommes.

Notre premier baiser maintenant au fond de l'estomac, je me sens pitoyable. Quel genre de fille mange les restes d'une autre personne ? Je me console en pensant que la tarte a un peu calmé mes démangeaisons. Oui parce que j'ai la langue qui pique. Affreusement ! C'est l'effet de la colle encore fraîche qui a été appliquée sur mes dents pour poser les fausses broches. La colle (comestible heureusement) dégouline sur ma langue par petites lampées. C'est franchement dégoûtant.

— Coupez ! C'est bon, on l'a, merci tout le monde ! On passe à la scène 15, on va placer l'éclairage, libérez le plateau !

Yann Thomas applaudit, l'air satisfait. Je soupire d'ennui dans mon coin. Les minutes filent comme des heures. Je lève les yeux. Victor semble se diriger vers moi. Pourvu que Victor ne nous voie pas, mes broches et moi ! Je me cache derrière les boîtes de tartes, espérant ainsi que Victor puisse continuer son chemin sans remarquer ma présence. Sous l'effet de mon souffle, de mon stress sans doute, la pile de pâtisseries se met à vaciller de gauche à droite. J'agrippe le tout, mais rien à faire : les tartes vont s'échouer sur le sol en m'entraînant dans leur chute ! Tapie sous les restes de pommes et les assiettes métalliques, j'entends la voix de Victor.

— Victoria ? C'est toi en dessous ?

— Non, non c'est un double de moi qu'on a engagé pour les scènes d'action. Ben oui, c'est moi ! Qu'est-ce que tu penses ?

Victor me regarde, ahuri. Sans savoir si ce sont mes broches ou le coulis de pommes que j'ai au front qui lui font cet effet, je lui tends la main pour lui faire signe de m'aider à me relever.

— T'as jamais vu ça une fille qui tombe ou quoi ?

— Euh, ben oui, mais en fait j'hésitais entre m'asseoir avec toi pour manger un peu de tarte, ou t'aider à te relever.

— Super drôle, Victor. Tu penses pas que t'en as assez mangé pour aujourd'hui ? Allez, aide-moi donc !

Victor saisit ma main, m'aide à me relever.

— Depuis quand t'as des broches ?

Bon, une autre affaire. Je serre mes lèvres pour tenter de dissimuler mon appareil.

— Ce sont pas MES broches. Ce sont les broches de mon personnage. J'ai les dents parfaitement alignées, moi ! C'est mon dentiste qui le dit.

L'état de ma dentition ne semble pas intéresser Victor.

— Victoria, je sais pas si t'aimes le théâtre, mais jeudi, c'est la première de la comédie musicale des *Misérables* et... si ça te tente, j'ai deux billets.

— Deux billets parce que, parce que tu y vas pas... toi ? Je veux dire, toi aussi... tu y vas ?

Victor sourit, il se gratte le derrière de l'oreille. (Ça veut dire qu'il est nerveux !)

— Ben oui, j'y vais ; c'est moi qui ai reçu l'invitation ! Ça te tente ou pas ?

J'oublie de camoufler mon appareil et je souris à pleines dents. Un sourire trop grand, à la Julia Roberts.

— Oui, oui, c'est parfait pour moi, jeudi !

— Super, on se donne rendez-vous au métro Berri-UQAM ?

— Ben... Dacodac !

Est-ce que je viens de dire « Dacodac » ? Cette expression ridicule est le patois favori de papa et plus personne ne l'utilise depuis les années 80 ! Je regarde Victor s'éloigner. Mes déboires langagiers, pas plus que l'allure de mes broches ou de mes vêtements souillés ne semblent lui importer.

P.-S. : Je pense déjà à ce jour où je dirai (et où personne ne me croira) que, la plus belle journée de ma vie, je me suis fait poser des broches et je suis tombée dans de la tarte aux pommes !

29 juillet, 18 h 55
À la maison

Le temps est très relatif, je trouve. Cette idée est d'Einstein, pas de moi, mais je trouve qu'il avait raison sur ce point, Einstein. Depuis que je sais que Victor et moi on ira au théâtre ensemble jeudi, je m'évertue à remplir mes journées de sorte que mon horaire soit aussi chargé que celui d'un président américain : plus je serai occupée, plus vite on sera réunis, Victor et moi, c'est logique. C'est logique, mais ça ne fonctionne pas très bien. Plus que 48 heures avant que Victor ne vienne me chercher, mais je commence à être à court d'idées pour garnir mon horaire de moins en moins présidentiel. Je me brosse les cheveux depuis vingt bonnes minutes en comptant les coups :

377, 378, 379...

Je m'arrêterai à mille, pas avant, c'est décidé. J'aurai les cheveux parfaitement lisses pour mon rancart parfaitement romantique avec Victor.

382, 383, 384...

La sonnerie de l'ordinateur interrompt mon projet du moment. C'est papa. Papa téléphone par Skype tous les mardis, pendant le générique d'ouverture de *30 vies*. Je sais que c'est lui parce qu'il est la seule personne que je connaisse qui utilise Skype pour m'appeler. L'image est brouillée une fois sur deux, mais mon père me répète la même chose CHAQUE FOIS que je lui demande de m'appeler avec son cellulaire :

— Les compagnies de téléphone font bien assez d'argent avec nous, Victoria. Je leur donnerai pas une cenne de plus !

Mon père est aussi la seule personne que je connaisse qui habite à plus de 20 km de chez moi. Oui, parce que mon monde à moi se déploie sur une superficie de 1256 km^2. C'est tout. C'est un sacrilège quand on pense que la superficie de la Terre fait 510 065 700 km^2. Je me console en pensant que les océans forment 70,7 % de la surface de la Terre et que c'est impossible d'habiter un océan, tout le monde sait ça ! C'est monsieur Bertrand, mon prof de géo, qui m'a appris tout ça. Il était tellement plein d'enthousiasme pour en parler, qu'on aurait cru qu'il s'agissait de sa propre découverte !

À l'école, tout le monde surnomme monsieur Bertrand « le diodon », à cause de ses yeux qui sortent de leur orifice et de son visage qui enfle et devient tout rouge quand il explique les choses. Le diodon est un poisson qui gonfle quand il a peur. C'est vrai que monsieur Bertrand est un peu un diodon ; il gonfle effectivement de partout, mais ce n'est pas parce qu'il a peur : c'est parce qu'il s'emballe quand il parle de géographie. J'aimerais être aussi passionnée que monsieur Bertrand pour quelque chose. Avoir les yeux du diodon, moi aussi.

Je prends mon pâté chinois et je file en vitesse m'asseoir sur mon lit avec l'ordinateur portable de ma mère sur les genoux. Je veux parler à mon père en paix et puis de toute façon, ma mère est très intéressée par la vie de Marilou Wolfe, qui a des problèmes beaucoup moins graves que les siens, alors ça lui change les idées. (Mon père, lui, nous a quittés parce qu'il préférait les aventures des gens au Soudan, qui ont des problèmes beaucoup plus graves que ceux de ma mère. Enfin, c'est ce qu'il semble croire.) Les adultes sont des gens qui veulent constamment être divertis.

J'entends à peine la voix de mon père parce qu'il se trouve dans une maison modeste avec une connexion Internet qui fonctionne de manière modeste ; mon père vit maintenant en plein cœur du désert subsaharien. Souvent, je lui dis qu'il se trouve dans le désert sub-sert-à-rien, mais il ne trouve pas ça drôle et moi non plus. Je dis ça parce que je suis un peu jalouse, au fond, des enfants sur les photos qu'il m'envoie. Sur l'une d'elles, par exemple, mon père se trouve avec un groupe de jeunes qui se disputent un ballon de foot, qui est en fait une bouteille d'eau recyclée. Avec tout ce sable autour, on les croirait sur une plage. Sur une autre photo, que j'aime encore moins, mon père est accroupi au sol tout près de deux gamins qui agrippent du bout des doigts des cerfs-volants artisanaux, faits avec des sacs de plastique usés. Je donnerais tout, TOUT, pour faire du cerf-volant artisanal en sac de plastique usé avec mon père.

Parfois, je rêve que mon père arrête de m'envoyer des photos avec des enfants heureux dessus. Dans mon rêve, mon père nous arrache à nos 1256 km^2 et nous emmène, ma mère et moi, loin du cancer. On voit alors des girafes et des éléphants d'Afrique et des hippopotames et même des bébés tigres qu'on peut flatter. On escalade des montagnes, au sommet desquelles on accède à des neiges éternelles (mais qui vont disparaître pendant qu'on se parle à cause du réchauffement climatique, c'est le professeur diodon, je veux dire monsieur Bertrand, qui nous a raconté ça). Et on est heureux parce qu'on est les derniers être humains qui verront ça de leur vivant et que ça fait de nous une famille originale et plus heureuse que les autres. Une famille tout court.

— Comment tu vas, mon loup ? L'école ça va ?

— Papa, y a pas d'école en ce moment, c'est les vacances d'été.

— Ah ben oui mon loup, c'est vrai. Mais sur le tournage, tu t'amuses ? T'aimes toujours ça autant ?

J'ai jamais dit à papa que je m'amusais. Je réponds n'importe quoi à ses questions qui sonnent comme n'importe quoi.

— Oui, je m'amuse toujours autant. Mon personnage porte des broches, c'est une expérience vraiment enrichissante.

C'est toujours pareil avec mon père. Il entend ce que je dis, mais il n'écoute jamais vraiment.

— C'est super, ça, Victoria ! Ben ici, imagine-toi donc qu'on a mis sur pied une petite clinique dans un village où y a que des orphelins dont les mères sont décédées du sida. Y avait quatre-vingt-douze enfants ! J'aurais aimé ça que tu vois ça, mon loup. Tout le village était là ! Les chefs du village nous ont même offert des poules pour nous remercier et les enfants avaient préparé un spectacle pour les gens de notre ONG.

— Des poules ? Vivantes ? Ils vous ont donné des poules vivantes ?

— Oui ! Vivantes, je te jure ! Et pour pouvoir les emmener à la maison à la fin de la journée, on a dû les attacher par les pattes avec des cordes à l'arrière de nos motocyclettes. Une heure trente de trajet, la tête en bas, les pauvres poules.

— Papa, c'est dégueu ce que tu viens de dire. En plus, je gage que vous les avez mangées.

— Bien sûr qu'on les a mangées, mon p'tit loup... Tu sais qu' à Rome on fait...

Il attend ma réponse, tout sourire.

— À Rome, on fait comme les Romains, papa. Je sais.

Une ONG, c'est un des mots qu'utilise mon père dans son jargon humanitaire : une organisation non gouvernementale. Parce que oui, papa est un HU-MA-NI-TAI-RE. Dans humanitaire, il y a le mot humain, parce que papa sauve des humains. Il met sur pied des hôpitaux dans des endroits où on pourrait difficilement imaginer voir pousser un hôpital. En fait, mon père est comme un genre de héros des temps modernes. Un héros, comme dans les films, mais sans la musique épique des violons et les gens qui se serrent dans leurs bras à la fin de l'histoire. Parce pour pouvoir se serrer dans les bras, c'est inévitable, il faut se voir. Et papa et moi, on ne se voit JAMAIS.

Même pas à Noël, parce que « La guerre, Victoria, ça prend pas de vacances ». Une autre des phrases toutes faites de papa pour me faire comprendre les choses de la vie.

Papa ne sait pas tout sur tout et un jour je vais lui dire parce qu'une fois, c'était pendant la Première Guerre mondiale – c'est encore monsieur Diodon qui m'a appris ça –, une fois les Allemands et les Alliés étaient bien prêts à se tirer dessus et à faire des ravages, tous tapis dans leurs tranchées, mais ils ont décidé de faire une trêve de vingt-quatre heures pour le jour de Noël de 1914. Ils ont même joué une partie de foot avec leurs casques et une boîte de conserve en guise de ballon. C'est l'histoire avec un grand H, alors je ne vois pas pourquoi les Soudanais ne pourraient pas en faire autant.

Papa me manque, même si nos conversations sont aussi vides que le désert du Sahel. Je raccroche et retourne à mes coups de brosse dans les cheveux :

385, 386, 387…

P.-S. : Charlotte a donné une entrevue pour *La Paperasse*, le journal préféré de ma mère. Il y avait une immense photo d'elle et de Victor dans le cahier cinéma (beaucoup trop grosse, d'ailleurs). Heureusement, je suis tombée sur l'article avant ma mère et j'ai pu le mettre au recyclage, incognito.

Bon, c'est vrai que ma mère ne va pas sur Internet... – elle déteste les ordinateurs –, mais si Charlotte se met à donner des entrevues partout, ça va vraiment me compliquer la vie ! Je ne peux quand même pas surveiller tout ce que ma mère lit !

31 juillet, 19 h 48
Appartement de Victor

Marie-Marthe a accepté de prendre soin de ma mère à ma place ce soir, alors j'ai pu sortir, même si c'est jeudi. Elle a dit: «Je fais une exception pour toi, Victoria, si tu me dis que je suis la meilleure infirmière en ville!» Alors évidemment, je n'ai pas perdu une seconde pour lui dire ce qu'elle voulait entendre et j'en ai même rajouté en disant: «T'es la meilleure infirmière du MONDE, Marie-Marthe!

* Note à moi-même: un compliment sonne faux... quand il est exagéré.

La représentation commence dans douze minutes. On devrait être assis dans la salle présentement, à attendre fébrilement le début du spectacle des *Misérables*, mais on se trouve plutôt au deuxième étage du triplex de chez Marie-Ginette, notre agente. Victor est venu me rejoindre comme prévu au métro Berri-UQAM, mais il avait oublié la paire de billets à son appartement, alors on a dû retourner chez lui en vitesse pour les chercher.

Pendant que Victor, à bout de souffle, s'évertue à chercher les billets, je scrute les lieux du regard, m'attardant à chaque détail. Son trois pièces et demie, tout peint de blanc, est pratiquement vide : on y trouve un lit, une lampe de chevet – à même le sol. – et des livres. Des rangées de livres à n'en plus finir.

— Tu m'avais pas dit que tu habitais chez Marie-Ginette.

— J'habite pas chez Marie-Ginette, elle habite au rez-de-chaussée, moi au deuxième.

— Victor, t'es pas un peu jeune pour habiter tout seul ?

Victor relève la tête. J'ai sans doute dit quelque chose qu'il ne fallait pas.

— Tu vois, c'est pour ça que je dis pas à tout le monde que j'habite en haut de chez Marie-Ginette. Je veux pas que les gens aient un avis sur ma façon de vivre.

Je suis venue des centaines de fois chez Bémol majeur – l'agence de Marie-Ginette se trouve au premier étage du triplex – et je n'y ai jamais croisé Victor ! Il doit vraiment tenir à sa vie privée. Victor ouvre nerveusement tous les livres.

— J'étais certain d'avoir mis la paire de billets dans un de mes livres, je comprends pas ! Victoria, je pense qu'il commence à être un peu tard pour le spectacle. Je me trouve un peu con, excuse-moi.

Accroupie au sol tout près de Victor, je fais mine de l'aider à chercher. J'ouvre quelques livres, lentement. Lentement pour être certaine de ne pas les trouver, ces billets. Parce qu'en vérité, je me sens parfaitement bien, ici. Assise dans la pénombre, sur le lit de Victor, je me dis que je n'aurais pas pu espérer mieux comme premier rancart : pénétrer l'intimité de la personne la plus secrète, la plus inhibée que je connaisse.

– Victor, j'hallucine ou tu classes tes livres par ordre alphabétique ?

– Ouin, je suis un peu intense, je sais. Mais les livres jeunesse, je les classe par maison d'édition. Tu peux t'en aller en courant si tu veux ! Mais je suis pas un genre de *freak*, c'est juste que les livres, c'est ce que j'ai de plus précieux.

Victor rit, se laisse choir à la renverse sur le lit. Je crois qu'on dit « se laisser choir comme une baleine », et c'est exactement ça. Quand le corps de Victor heurte le lit, mon corps à moi, recroquevillé tout près du sien, se laisse tomber à son tour. Victor a les yeux rivés sur les fissures du plafond.

– On dirait des vestiges de petits tremblements de terre, partout au-dessus de nos têtes, tu trouves pas ? qu'il me dit.

Je ne vois vraiment ce que ce vieux plafond tout craquelé peut avoir en commun avec un tremblement de terre, mais j'acquiesce, comme pour ne pas ruiner la poésie du moment. Oui, parce qu'en réalité, ce sont les fissures de Victor qui m'intéressent, moi. Que j'essaie de deviner, sous son t-shirt American Apparel. Mes vêtements me collent à la peau, à cause de la sueur. C'est mon corps qui renonce à contenir sa nervosité. Une foule d'idées me parcourent l'esprit. Peut-être que Victor a tout prévu, qu'il a tout manigancé pour perdre les billets ? Peut-être que Victor espère même qu'on fasse l'amour ce soir ? Oh ! Non ! Misère ! Je ne crois pas que je sois prête, je veux dire, vraiment prête pour ça. (Je n'avais pas d'idée précise sur la façon dont se déroulerait ma première fois, mais je pensais que je me sentirais plus confiante, plus sûre de moi pour vivre ce moment.)

Sans réfléchir, je prends le premier livre qui me tombe sous la main : *L'Hiver de pluie*. Je fais mine de le lire, de m'intéresser. Victor me pointe un post-it jaune qu'il a collé sur une des pages (Victor annote tous ses livres.).

— Dans ce livre, la narratrice dit quelque chose que je n'oublierai jamais. Là où j'ai mis un post-it.

— Elle dit quoi ? que je lui demande, en ouvrant le livre au marque-page.

— « Je pense que l'enfer est dans l'absence de solitude, dans l'impossibilité de se débarrasser de son identité et de toujours être reconnu, nommé, identifié. »

Ahurie, je regarde le texte : Victor l'a récité mot pour mot !

— Comment t'as pu retenir ça par cœur ?

— Je sais pas, j'ai une super bonne mémoire. J'essaie de mémoriser les phrases que j'aime. Ça m'aide pour les tournages, au fond.

— Donc, t'es d'accord avec elle, que l'enfer, c'est l'absence de solitude ? que je lui demande, pas trop certaine d'avoir compris le sens de cette phrase.

— Oui, totalement d'accord... Euh Victoria, il est passé 8 heures. On a manqué le spectacle, qu'il me dit avec lassitude.

— Hum, on a manqué le spectacle, que je lui dis avec toute la sensualité dont je suis capable.

Nos deux visages se contemplent maintenant de si près que les détails de ses traits se brouillent. Je sens son souffle qui se heurte au mien en brefs allers-retours. Nos respirations sont comme deux petits courants tièdes synchronisés à la perfection. Je ferme les yeux et j'entrouvre les lèvres. Je m'applique pour qu'elles restent molles, juste assez, pas trop. Mais la voix de Victor me fait sursauter ! J'ouvre les yeux et l'aperçois qui s'est redressé et qui me fait maintenant dos. Ma bouche juste assez molle mais pas trop se referme docilement. Victor prend un livre et se racle la gorge pour m'en lire un extrait.

— « La dernière chose qu'on a fait cuire dans le four du L'Islet Ultramatic c'est nos disques des Beatles. On en a fait une belle pile noire, on l'a posée au centre de la grille, on a allumé à 350 °F. On s'est assis par terre pour regarder par la lunette Perma-View ce que ça allait faire. Ça a fondu, ça a coulé, ça a fumé, ça a pris feu. C'était triste. Mais on a compris que les choses dépendent de notre volonté, qu'elles existent parce qu'on le veut bien, parce qu'on choisit à chaque seconde de ne pas les détruire. Elles existent si peu, qu'on peut dire que rien n'existe. »

Victor se tourne vers moi.

— C'est Réjean Ducharme, *L'Hiver de force*. C'est en lisant cet extrait-là que j'ai décidé de partir de chez mes parents pour de bon, de venir m'installer ici. De garder juste ce qu'il me fallait, mes livres, en gros.

— T'es parti à cause d'un livre ?

— Tu sais ce que Victor Hugo a dit un jour, à propos des livres ?

— Non, mais je sens que tu vas me le dire.

— Que les livres sont des amis froids, mais sûrs.

Victor a les yeux rivés sur le livre de ce Réjean je-ne-sais-qui.

— Ils t'ont fait quoi Victor, tes parents, pour que tu veuilles partir à ce point-là ?

Victor me regarde longuement, comme à la recherche d'une brèche pour enfouir son secret.

— Disons que mes parents sont un peu comme tout le monde au fond... Un peu menteurs. Y a juste Marie-Ginette qui dit pas la vérité juste quand ça l'arrange.

L'envie de tout savoir, de tout comprendre, m'envahit, mais je me retiens, je me contiens, je m'interdis de poser à Victor ne serait-ce qu'une seule question à propos de ce qui a bien pu se passer entre ses parents et lui. Puis, une très mauvaise idée me vient à l'esprit. Mais le principe avec les mauvaises idées, c'est qu'on ne sait pas qu'elles sont vouées à l'échec avant de les avoir mises à exécution. Je m'approche de Victor, dégage une mèche de sur son front, puis y pose mes lèvres. Sa peau est douce, douce comme une peau de banane (c'est doux de la peau de banane, non ?). Mais mes lèvres à moi doivent être astringentes comme une banane pas mûre, parce que Victor se détache de moi aussitôt.

— Victoria, c'est juste que... Marie-Ginette aime pas trop ça qu'il y ait des gens ici. C'est un genre d'entente qu'on a tous les deux. Ce serait peut-être mieux que tu partes, je pense. Tu comprends ?

J'essaie de contenir ma déception lourde comme un premier baiser raté.

— On peut pas tout comprendre dans la vie, Victor, c'est ma mère qui dit tout le temps ça et elle a foutrement raison.

Je me lève, m'apprête à quitter le petit appartement sans dire un mot de plus. Victor m'interpelle une dernière fois.

— Hum, Victoria, j'ai des billets pour aller au cirque le mois prochain. Le 28 août, c'est un jeudi, je crois... Si t'es libre, je vais pas les perdre cette fois-là, promis.

L'eau qui monte dans mes yeux me brouille la vue, mais je refuse que mes paupières abdiquent. Je sens mes pupilles qui tremblent comme des petits poissons agités dans un aquarium. Non, je ne vais pas pleurer.

— Non, je vais pas pouvoir, Victor. Je m'occupe de ma mère, le jeudi. Tu comprends, c'est comme un genre d'entente qu'on a toutes les deux.

Victor acquiesce, sans doute, mais comme je lui fais dos, je ne peux pas savoir. Je sors de chez lui.

Dans l'autobus qui me ramène chez moi ce soir, je lèche mes lèvres avec conviction : elles ont un goût de rien, mes lèvres. Un goût acceptable, je dirais. En tout cas, pas le goût d'une banane trop verte. Victor est un ami froid, et pas sûr du tout.

4 août, 14 h
À la Grande Bibliothèque

Comme ma mère est persuadée que je passerai tout l'été à tourner sur le plateau d'*Une famille à l'envers,* j'ai vite compris que je ne pourrais pas rester à la maison et qu'il fallait impérativement que je me trouve un plan B ! C'est donc avec Henri, le portier de la Grande Bibliothèque, que je passe le plus clair de mon temps. (Cette bibliothèque est vraiment très grande, soit dit en passant. Si Victor n'était pas si con avec moi, je l'emmènerais faire un tour et ça lui en boucherait un coin.)

C'est en décidant de me rendre à la Grande Bibliothèque un matin – alors que j'avais dit à maman qu'une grosse journée de tournage m'attendait – que tout a commencé. Je me disais qu'errer dans ce lieu rempli de livres ne pourrait sans doute pas nuire à mes chances de plaire à Victor. Bon, Victor annote tous ses livres, ce qui fait de lui l'ennemi juré de toute bibliothèque qui se respecte, mais quand même.

Alors que je sortais de la bibliothèque avec, sous le bras, un imposant roman de Victor Hugo intitulé *Les Travailleurs de la mer*, Henri le portier m'a apostrophée.

— Ce livre contient la plus belle preuve d'amour sur terre. C'est un gros roman... As-tu vraiment l'intention de le lire, jeune fille ?

— 927 pages, merci. Si vous me dites que ça finit mal, oui, absolument, je vais le lire.

— Hum, pas exactement, non. Ce livre raconte l'histoire d'un pêcheur. Un pêcheur qui est follement amoureux d'une femme qui, elle, ne l'aime pas en retour. L'homme sait qu'il pourrait marier cette femme de force, mais il choisit de faire autrement...

— Ah bon, et il fait quoi ?

— Eh bien, le pêcheur décide de laisser la femme au bras de l'homme qu'elle aime et qui la rendra heureuse. C'est l'amour qui triomphe sur l'orgueil ! Sur la possessivité ! Alors pas de chance, jeune fille, je dirais que ça finit plutôt bien, moi.

— Eh bien, merci pour l'information ! Au lieu de perdre mon temps à le lire, je vais aller magasiner chez Zara. J'ai peut-être juste quatorze ans, mais je suis assez vieille pour savoir que c'est une énorme connerie de penser que l'amour peut triompher sur quoi que ce soit ! Victor Hugo a jamais mis les pieds au XXIe siècle, ça paraît !

— Oh. Je vois. Tu as beaucoup de colère en toi, jeune fille.

— C'est peu dire, vieux monsieur !

Au lieu d'être insulté parce que je l'avais appelé vieux monsieur, Henri a ri et il a dit des mots que sur le coup, j'avoue ne pas avoir compris.

— Jeune fille, c'est en mer agitée qu'on reconnaît la qualité du bateau.

Mais c'était pas grave parce qu'Henri et moi, on s'est bien entendus tout de suite. Je n'ai jamais eu de grand-père (je sais, pas de chance), mais si j'en avais eu un, je l'aurais imaginé exactement comme lui. À un détail près, parce qu'Henri a la peau noire comme du café, ce qui ferait de moi une fille adoptée (je ne pense pas avoir été adoptée).

Henri le portier fume des cigares et me raconte toutes sortes de trucs à propos du pays d'où il vient: le Swaziland. «Le plus anonyme de tous les pays d'Afrique, niché quelque part dans l'est de l'Afrique du Sud», qu'il me dit, de sa voix rauque de fumeur. Henri me raconte des choses à propos de son pays qui me paraissent trop cruelles pour être probables, mais je l'écoute parce qu'il ne s'arrête jamais et qu'avec lui, le temps passe moins lentement qu'ailleurs. Ses histoires me font penser à des contes de princesses.

— D'abord, il faut savoir que le Swaziland est la dernière monarchie d'Afrique. Tu sais ce que c'est qu'une monarchie, jeune fille?

— Ben oui, c'est quand un pays est dirigé par un roi. Tout le monde sait ça, vieux monsieur !

— Je m'appelle Henri, jeune fille.

— D'accord, et ben moi, je m'appelle Victoria. Victoria Belmont.

Henri m'a expliqué qu'il y a, dans son pays, le dernier roi de tout le continent et qu'il règne en despote sur les habitants de son pays (ça veut dire qu'il est cruel, mettons). Paraît même que la fille du roi fréquente une université londonienne, et qu'elle dépense des fortunes en vêtements et en *cup cakes* et en maquillage Chanel, alors que tout le peuple de son père crève de faim.

Ce qui est bien, avec Henri, c'est qu'il ne me demande jamais pourquoi je passe autant de temps à la bibliothèque, à écouter ses histoires. Alors je ne suis pas obligée de lui mentir. Quand on cesse de discuter, il fredonne des berceuses de son pays. Sa voix grave raisonne haut à cause du béton au-dessus de nos têtes, et ce qui est bien c'est que, grâce à la ville, qui a l'habitude de presser les gens, il n'y a personne pour nous embêter. Alors, quand Henri chante, je ferme les yeux pour ne rien manquer. Et, même si le Swaziland ça n'a pas grand-chose à voir avec le Soudan, je me sens comme si mon père était là, un tout petit peu.

5 août, 12h35
Tournage d'*Une famille à l'envers*, jour 2

Je déteste les cafétérias et les cantines, toutes catégories confondues. La cafétéria de l'hôpital de ma mère arrive en tête de ma liste, évidemment, mais celle de mon école me rebute presque autant – et c'est sans compter les cantines des aéroports, des centres commerciaux ou des plateaux de tournage, évidemment. Je ne sais pas si c'est l'anonymat du lieu ou toutes les odeurs qui s'y confondent (ou les deux), mais je m'évertue à fuir toutes les cafétérias et les cantines du monde. On dit « fuir comme la peste » et c'est exactement ça !

À l'école par exemple, durant l'heure du dîner, j'ai pris l'habitude d'avaler en vitesse mon sandwich jambon-mayonnaise sur le coin d'une de ces tables grisâtres et pleines d'adolescents affamés et de m'éclipser en douce vers la sortie la plus proche. Généralement, personne ne s'aperçoit de mon absence – je l'ai dit plus tôt, je ne suis pas tout à fait la fille la plus populaire de mon école. Mais quand même, pour m'assurer que personne ne me voit errer seule dehors comme un poireau qui poireaute (je ne comprends pas pourquoi on dit qu'un poireau, ça s'ennuie ; à vérifier), je m'exerce à marcher d'un pas décidé, presque militaire, en faisant le tour de l'école, jusqu'à ce que la cloche me rappelle en classe. Mon dégoût pour les cafétérias est tel que, même durant les grands froids de janvier, je sors pour faire mes tours.

Je me trouve présentement à la cantine du plateau de tournage d'*Une famille à l'envers*. Ma deuxième journée de tournage se déroule sans heurt jusqu'à maintenant. Je dis bien «jusqu'à maintenant», parce que l'endroit doit compter une dizaine de tables, toutes plus vides les unes que les autres, mais c'est DEVANT MOI précisément que Charlotte Lemieux décide de venir s'installer pour manger son plat de macaroni au fromage ! Elle me fixe avec ses grands yeux de biche pleins de mascara.

– Je suis tellement contente de manger du macaroni ! Ça me rappelle un peu les Bergeronnes ! C'est de là que je viens, les Bergeronnes. C'est sur la Côte-Nord. Bon, le macaroni de mon père est pas mal meilleur, mais celui-là fait quand même l'affaire.

Je lui souris évasivement.

– Je me sens loin de chez nous, on dirait. C'est vrai que c'est loin en titi de Montréal, la Côte-Nord. C'est normal, tu penses, que je me sente perdue... Victoria ? C'est ça ton nom, Victoria ?

— Hum hum, que je lui réponds, en regardant son assiette pratiquement déjà terminée.

Charlotte dévore chaque bouchée comme si elle avait entre les mains le dernier plat de macaroni de l'univers !

— Euh Charlotte, tu sais que tu peux en reprendre hein, du macaroni ? C'est à volonté.

Charlotte rit béatement.

— Oui, je sais, je mange vraiment beaucoup ! Mais c'est à cause de ma mère. Elle me fait faire du sport sans arrêt depuis qu'on a mis les pieds à Montréal ! Tiens, par exemple, durant ma journée de congé hier, on est allées à la piscine, on a fait une heure de yoga et quatorze kilomètres de jogging sur le mont Royal ! Ma mère a insisté pour qu'on grimpe le mont Royal et à cause d'elle, j'ai été obligée d'avaler des antihistaminiques ! J'ai des allergies, c'est pour ça ! Ma mère pense que toute actrice qui se respecte doit bouger un peu. J'appelle plus ça bouger un peu... Je suis sûrement rendue plus en forme que Joannie Rochette ! T'sais... la patineuse artistique ?

— Je sais qui est Joannie Rochette, merci. Et je sais qui est ta mère et je te plains un peu, à vrai dire.

Oups. Je ne sais pas pourquoi je lui ai dit ça. C'est sorti tout seul. (Cette fille m'agace, c'est tout.)

Charlotte me fusille du regard. Sa peau de porcelaine est maintenant écarlate.

— Tu me détestes depuis la première fois que tu m'as vue, Victoria Beaumont ! Je t'ai rien fait !

Je mange ma salade, sans même daigner la regarder et la corrige.

— Belmont, je m'appelle Victoria B-E-L-M-O-N-T.

— T'es vraiment une petite snob, Victoria ! C'est vrai ce que tout le monde raconte à ton sujet au fond. En plus, t'es laide avec des broches ! Je vais retourner dans ma loge, VICTOR m'attend pour répéter !

Les mots de Charlotte me font l'effet d'une douche glaciale, du type antarctique, la douche. Je m'arrête un instant, comme pour avoir une lecture claire du moment, mais je n'arrive pas à saisir ce qui me foudroie le plus. La conviction avec laquelle Charlotte a frappé ses petits poings chargés de colère sur la table de la cafétéria, ou le son de sa voix prononçant mielleusement le nom de V-I-C-T-O-R ? Charlotte se serait-elle... entichée de Victor ?

Je réponds du tac au tac, parce que chaque seconde d'hésitation dans un moment comme celui-là peut être fatal pour la suite des choses.

— Peut-être, mais Victor a pas l'air de les détester mes broches, lui. En tout cas, c'est moi qui ai passé la soirée chez lui, jeudi passé, dans SON appartement et c'est moi qu'il a invitée pour l'accompagner au cirque, le 28 août !

— Je te crois pas ! Victor aurait pas une seconde à perdre avec une fille comme toi !

Charlotte, furieuse, se lève d'un bond et il se passe alors un truc digne d'une scène de film américain : tout le contenu de son assiette de macaroni se déverse sur moi ! (Je dois mentionner ici que je porte le costume de mon personnage et que je vais littéralement me faire arracher la tête par l'habilleuse de plateau.) Je me lève à mon tour. Face à face toutes les deux, on a l'air de deux actrices d'une scène de western spaghetti (les fusils en moins). Alors que j'hésite entre crier de toutes mes forces ou lui balancer au visage les résidus de macaroni au fromage qui glissent le long de mes cuisses, tante Anna, qui a sans doute remarqué notre échange musclé, s'approche de nous.

— Les filles, je vois que vous faites connaissance. Tout se passe bien, hein, j'espère ?

Charlotte me regarde droit dans les yeux. (Cette fille aurait donc un peu de personnalité ?)

— Oui madame Anna, j'ai eu un petit accident, hein, Victoria ?

Tante Anna se tourne vers moi, attend ma réponse, tout sourire.

– Oui, c'est ça, rien de grave, tante Anna. On allait justement répéter une scène avant la fin du dîner.

Alors que tante Anna me jette un regard suspicieux, son téléphone cellulaire la fait sursauter.

– Voyons donc ! C'est quoi ça ? Ah oui, c'est ma nouvelle sonnerie ! Oh, c'est monsieur Lachaise. Les filles, faut que je le prenne, ça fait mille fois que je lui dis que ça se passe bien sur le plateau, mais il s'inquiète. Je vais lui dire que vous êtes même devenues amies. Tout est sous contrôle !

Anna s'éloigne et, avec elle, le bruit en decrescendo de ses talons hauts qui martèlent le sol comme une petite machine de guerre.

tac-tac-tac-tac-tac

Je me retrouve seule avec Charlotte et une mare de macaroni à mes pieds. Je m'éloigne d'elle en lui assénant une dernière petite phrase, pas anodine du tout.

– Charlotte, tu salueras Victor de ma part. Dis-lui que j'ai hâte à la fin du mois ! Je suis jamais allée au cirque et je suis tout à fait disponible… à bien y penser.

9 août, 13 h
Dans une boutique ridicule appelée *Les anges de la chevelure*

— Maman, je t'aime maman.

Des fois, les mots viennent sans avoir été commandés, sans invitation officielle à être prononcés. Des mots automates. Des mots rebelles. Ce sont ces mots « Maman, je t'aime maman » qui sont sortis de moi quand je l'ai aperçue cet après-midi avec, sur la tête, ses nouveaux cheveux synthétiques blonds frisés.

C'est dans un salon de coiffure de l'est de Montréal qu'on peut dénicher, selon tante Anna, les plus belles perruques en ville. La boutique s'appelle *Les anges de la chevelure*.

Une femme habillée avec des vêtements trop cintrés ajuste les nouveaux cheveux de maman.

— C'est drôle hein, Victoria, j'ai rêvé toute ma vie d'avoir les cheveux blonds frisés, mais j'ai jamais osé. J'avais peur que ton père me trouve ridicule. Tu me le dirais, hein, Victoria, si j'avais l'air ridicule ?

J'embrasse maman sur le front. C'est un geste calculé, pas du tout automate le geste.

— Maman, t'es la blonde frisée la moins ridicule de tout l'est de Montréal.

Ma mère me tient la main pendant que la coiffeuse dit des choses comme :

— C'est une couleur qui vous va tellement bien, Violette. Vous devriez plus jamais vous priver pour un homme ! Les hommes sont conservateurs !

(Et bla bla bla...) Cette femme avec sa poitrine exubérante qui respire la santé n'a rien d'un ange, ça se voit tout de suite.

La dame sans classe explique à ma mère qu'elle va maintenant procéder au rasage de sa tête et qu'ensuite elle va laver son cuir chevelu et que tout se passera bien - même si on sait toutes les trois que c'est faux.

La coiffeuse approche son rasoir de la chevelure de ma mère, qui se tourne vers moi en étirant mécaniquement tous les traits de son visage vers le haut. Une vaine tentative de ce qui m'apparaît être un effort pour sourire (un sourire improbable).

— Victoria, ça se passe toujours aussi bien sur le plateau ? Tu m'en parles pas souvent. Tu dois être rendue à ta dixième journée de tournage au moins, c'est ça ?

Une fille juste et bonne aurait trouvé la force de dire : « Non, maman. Depuis trois semaines, c'est pas sur un plateau de tournage que je passe mes journées, mais à la Grande Bibliothèque. J'y vais tellement souvent, maman, que j'ai même commencé à appeler le portier par son prénom. Il s'appelle Henri, maman, le portier. Ta fille est une menteuse. Une menteuse professionnelle ! Même pas foutue de réussir une audition ou même... un premier baiser avec la langue. »

bzzzzzzz...

Le bruit du rasoir. Les cheveux de maman qui valsent comme des plumes, avant d'aller s'échouer au sol. La dame qui dit à maman : « Ça va, Violette, ça va, je peux continuer ? » Maman qui dit : « Bien sûr. » Comme si elle en redemandait encore. Je ne peux plus mentir à maman.

Fuir.

– Maman, tu sais quoi, je pense que les cheveux frisés ça te va pas vraiment, à bien y penser. Je préfère tes anciens cheveux. Je veux dire, je préfère tes cheveux quand ils sont raides.

P.-S. : Maman a finalement décidé de faire à sa tête et de prendre les deux perruques (la blonde frisée et la brune).

RÉFLEXION SUR MARILYN MONROE

Charlotte peut bien penser ce qu'elle veut ; je me suis habituée à mes broches. Parfaitement. Linda, la maquilleuse de plateau, a même accepté que je les porte durant toute une nuit, quand je lui ai dit que ça m'aiderait à être mieux connectée à mon personnage.

Je les exhibe fièrement, avec conviction, depuis que je suis tombée sur une vieille affiche de Marilyn Monroe dans un des corridors du studio de tournage et qu'une idée m'a frappée, comme un éclair de génie :

Que serait devenue Marilyn
sans son grain de beauté légendaire ?

Je ne suis pas dupe, je sais bien qu'un appareil dentaire ne fera jamais de moi une icône de la féminité. Mais au moins, avec mes fils métalliques entre les dents, je suis originale.

11 août 13 h (Je suis épuisée !)
Tournage d'*Une famille à l'envers*, jour 3

Voilà cinq heures qu'on tourne la même scène, Charlotte et moi. Il s'agit d'une scène plutôt banale qui comporte uniquement deux répliques et qui aurait pu être tournée en deux heures tout au plus, mais Charlotte ne cesse d'éternuer ! Je ne voudrais pas être dans ses souliers en ce moment, surtout que monsieur Lachaise est venu de Paris pour assister à quelques jours de tournage. Assis un peu à l'écart, ce monsieur Lachaise n'a pas l'air de trouver la situation réjouissante !

— Scène 33, prise 72, et action !

Ma réplique : « Alix, t'es pas toute seule... Québec, c'est pas le bout du monde. »

La réplique de Charlotte : « Oui, Québec c'est le bout du monde quand on a quinze ans et pas de permis de conduire. »

Yann, le réalisateur, se jette littéralement par terre, exténué.

— Et c'est coupé ! Merci mon Dieu, on l'a. C'était pas parfait, mais on perdra pas une seconde de plus avec cette scène ! Charlotte, va te reposer dans ta loge, la journée est loin d'être finie pour toi !

– Je suis désolée Yann, je sais pas ce qu'il m'arrive ! Pourtant, c'est pas la saison des foins.

– Charlotte, va falloir aller voir un médecin. On peut pas se permettre de perdre autant de temps, on a pas le budget pour ça. Allez, va te reposer.

Alors que Charlotte acquiesce tristement et s'apprête à quitter les lieux, sa mère, fidèle à elle-même, entre en trombe sur le plateau, heurtant même monsieur Lachaise sur son passage !

– Je veux savoir qui ! Qui a étalé du pollen de pissenlit partout dans la loge de Charlotte ! Il y a de la poudre jaune sur TOUTES ses affaires ! Ça prend pas la tête à Papineau pour savoir que c'est du pollen !

Charlotte fonce sur moi.

– Victoria Belmont, si jamais j'apprends que c'est toi qui as fait ça !

– T'es pas bien ou quoi ?

Je feins l'étonnement, puis m'éloigne de Charlotte qui à m'arracherait la tête si on ne se trouvait pas dans un lieu si public. Je dis feindre l'étonnement, parce que c'est bien de mon œuvre qu'il s'agit : oui, je suis entrée par effraction dans la loge de Charlotte et j'ai délibérément égrainé vingt-six petites têtes de pissenlit sur ses vêtements, son oreiller et même... dans ses souliers. Bref, j'ai saupoudré sur ses affaires une quantité de pollen suffisante pour ruiner sa journée de tournage ! Je le dis fièrement et sans regrets ; cette Charlotte a vraiment besoin de comprendre que tout n'est pas rose dans la vie et qu'on ne lance pas un plat de macaroni au fromage sur Victoria Belmont sans en subir les conséquences !

J'envoie mes cheveux valser vers l'arrière de mon épaule, en émettant un son assez cliché du genre :

— Pfff.*

* Traduction : T'es un peu pathétique, Charlotte Lemieux.

Quand je regagne ma loge, je tombe sur Victor, assis devant la porte de ma roulotte.

— Victor ? Qu'est-ce que tu fais là, tu tournes même pas aujourd'hui ?

— Je suis passé voir Yann sur le plateau, pis Charlotte m'a demandé si c'était vrai qu'on allait au cirque ensemble. Je me demandais si, peut-être, t'avais changé d'idée ?

— Charlotte t'a dit ça ? Elle t'a dit quoi... exactement ?

— Ben, elle m'a juste posé la question. Quoi, c'est pas vrai que tu lui as dit ça ?

-Non, ben je veux dire, oui ! Oui, ça me tente d'y aller avec toi... au cirque.

– Ben, parfait.

Victor me sourit, puis me demande en chuchotant, alors que Charlotte passe tout près de nous :

– T'as entendu, il paraît que quelqu'un a mis du pollen de pissenlit dans la loge de Charlotte.

– Hum, non... Je savais pas.

13 août, 9 h 44
À la maison (alors que je m'apprête à avaler un gros bol de Captain Crunch)

Tante Anna est dans tous ses états ce matin au bout du fil. Ma mère, désemparée, active le mode main libre pour que je puisse entendre la conversation.

— Victoria a pas du tout cessé de se ronger les ongles, Violette !

C'est vrai ce qu'elle dit, et j'ajouterais même que je me mordille le bout des doigts avec tellement d'ardeur qu'ils sont devenus de vrais petits moignons rougis et asséchés. On croirait que j'ai dix raisins secs en guise de phalanges.

— Sur les gros plans, c'est vraiment problématique, Violette. Pro-blé-ma-ti-que.

— Oui, je comprends, je vais lui parler tout de suite.

— Non, non, non et non ! Tu lui dis d'être prête, j'arrive dans quinze minutes, je l'emmène au salon !

Je ne comprends pas pourquoi ça énerve tante Anna que je me bousille le bout des doigts ; il n'y a pas de gros plans de moi dans ce film, à ce que je sache ?

Peu importe, treize minutes tapantes plus tard, Anna est devant la maison, fidèle à elle-même, c'est-à-dire exubérante à souhait avec son air calculé de productrice qui s'apprête à sauver la situation (quelle situation ?). Je monte dans la voiture avec mes doigts ravagés. Ça sent le cuir neuf, mais c'est du faux, comme tout le reste : tante Anna vaporise quotidiennement sa BMW avec un sent-bon qui sent même pas si bon que ça. Une trouvaille achetée chez Rono-Dépôt. Ça s'appelle du *Spray Car* avec « odeur de voiture neuve ». Tante Anna s'assoit au volant et pousse un grand soupir qui se traduirait sans doute par : « Victoria, une cause perdue ! »

— Tu sais combien de filles voudraient être à ta place, Victoria ?

Et c'est parti. Elle va me casser les oreilles pendant le reste du trajet.

— Prend la p'tite Justine là, par exemple. Justine ferait TOUT pour jouer le rôle de Noémie ! Elle ferait tout pour avoir une seule de tes lignes devant la caméra.

— Justine ? Je sais même pas de qui tu me parles, tante Anna. Pis je sais pas pourquoi je perds mon temps avec ton film à la noix, de toute façon...

— Pardon ? Répète ce que tu viens de dire, Victoria, tu marmonnais !

Je me tais et je regarde par la fenêtre. Les commerces du boulevard Taschereau défilent comme un spectacle d'une laideur inouïe. Je suis dans une mauvaise scène de téléroman, avec l'odeur de *Spray Car* en plus. Je me demande quel genre d'ingénieurs ont pu penser l'allure de cet échec architectural : ces tristes édifices constituent le théâtre de mon enfance et des gens ont été payés pour imaginer des laideurs pareilles. À Paris, ils ont les Champs-Élysées, ici, on a le boulevard Taschereau. La vie est injuste.

— Tu entends ce que je te dis ? Je me fous que tu ronges tes ongles jusqu'au sang ! Je suis pas venue te chercher pour ça.

— Ben là, pourquoi t'es venue me chercher d'abord ?

Tante Anna fait claquer ses longs ongles rouges sur le volant de sa BMW.

— Victoria. Tout le monde pense que c'est toi qui as mis du pollen de pissenlit dans la loge de Charlotte. Et c'est pas tout ! C'est loin d'être tout ! Imagine-toi donc que ta mère m'a posé des questions à propos du tournage. Hey, veux-tu bien me dire pourquoi, pourquoi tu lui as dit que t'avais décroché le rôle d'Alix ? Tu t'imaginais quoi ? Qu'elle allait jamais découvrir la vérité !

— Ma mère t'a vraiment posé des questions ? Pis... tu lui as dit quoi ?

— J'ai rien dit. Pour l'instant ! J'ai changé de sujet. Mais j'ai pas l'intention d'entretenir tes petits mensonges d'adolescente, Victoria ! Tu m'entends ? Et là, là tu vas me faire le plaisir d'aller t'excuser auprès de Charlotte, et tu vas me promettre, m'entends-tu, ME PROMETTRE de laisser cette fille tranquille !

— Je vais la laisser tranquille oui, mais dis rien à ma mère. Pas maintenant, tante Anna, s'il te plaît. Ma mère est fatiguée ces temps-ci, je vais trouver le bon moment... OK ?

— OK, mais prends-moi surtout pas pour une valise, Victoria Belmont ! Je t'aurai avertie. Je vais perdre mon emploi si ça continue ! T'imagines de quoi j'ai eu l'air devant monsieur Lachaise à cause de tes enfantillages de pissenlits ? Hein ? D'ailleurs, monsieur Lachaise pense que la... situation... de ta mère affecte ta concentration sur le plateau, et je dois dire franchement, Victoria, que je commence à être de son avis !

Je voudrais que tante Anna oublie de freiner à la lumière rouge. Je voudrais un impact monstre. Une collision si violente qu'elle ferait tout taire, même la voix de tante Anna. Surtout la voix de tante Anna. Que tante Anne ne puisse plus jamais dire le mot... situation.

17 août, 13 h
Nombre d'heures avant mon anniversaire : 35

Recette de gâteau à la vanille (le meilleur) de Ricardo

Préchauffer le four à 180 °C (350 °F).

750 ml (3 tasses) de farine tout usage non blanchie
15 ml (1 c. à soupe) de poudre à pâte
2,5 ml (½ c. à thé) de sel
4 œufs
500 ml (2 tasses) de sucre
15 ml (1 c. à soupe) d'extrait de vanille
180 ml (¾ tasse) d'huile de canola
310 ml (1 ¼ tasse) de lait

* Pour un goût plus relevé, ajoutez un soupçon de cannelle !

C'est mon anniversaire dans deux jours. J'aurai quatorze ans. (Je sais que j'avais dit que j'avais quatorze ans, mais j'avais 13 ans + 309 jours, alors j'ai arrondi). Je pourrais peut-être essayer de faire un gâteau à la vanille. Ça doit pas être si sorcier à réussir, un gâteau à la vanille. Pas comme un gâteau aux carottes ou un gâteau triple chocolat ! C'est un choix raisonnable, la vanille, mature même, je dirais, dans les circonstances. Oui parce que cette année, c'est moi qui devrai concocter mon propre gâteau. Je m'explique.

L'an dernier, ma mère a eu son premier traitement de chimiothérapie quatre jours avant mon anniversaire. Comme elle était très occupée à apprendre les rudiments de la chimiothérapie (et ses effets secondaires pas si secondaires que ça), elle m'a acheté un gâteau double chocolat au rayon des produits congelés. Au RAYON-DES-PRODUITS-CONGELÉS ! Sur le coup, je n'ai rien dit, bien sûr. Mais je me suis juré solennellement que, pour toutes les années à venir, je me chargerais moi-même de cuisiner mon gâteau de fête. D'ailleurs, j'y pense : il devrait impérativement exister une sorte de loi non écrite à propos des gâteaux qu'on trouve dans les rayons des produits congelés :

*** À ne consommer qu'en cas
de situation extrême ! ***

– LISTE DES RAISONS ACCEPTABLES –

N° 1 : Un chien mange un gâteau de mariage douze minutes avant la cérémonie : RAISON ACCEPTÉE.
N° 2 : Les bougies sont soufflées et tous les invités recrachent avec dégoût leur première bouchée de gâteau : le sucre a été remplacé par du sel : RAISON ACCEPTÉE.
N° 3 : Je ne trouve même pas de troisième raison acceptable !

Bref, un gâteau congelé, je le dis comme je le pense, ça n'a rien à voir avec un gâteau fait maison ! En fait, c'est exactement comme pour le pâté chinois. On ne peut PAS acheter un pâté chinois au magasin. Tout le monde sait ça ! Alors cette année, pour mon quatorzième anniversaire, c'est décidé : je m'organise toute seule.

* Note à moi-même : ne pas oublier d'apporter un morceau de gâteau à la vanille à Henri le portier.

19 août, 14 h
Tournage d'*Une famille à l'envers*, jour 4

Rien de particulièrement spécial à dire sur ma quatrième - et avant-avant-dernière - journée de tournage, à part le fait que personne n'a souligné mon anniversaire aujourd'hui. Je me demande si on m'en veut encore à cause de cette histoire de pissenlits ? Alors que je m'apprête à regagner ma loge et à retirer mon appareil dentaire (je ne trouve plus ça très drôle, cette histoire de broches), j'aperçois Marie-Ginette qui s'avance vers moi. Elle paraît nerveuse, tremblotante.

— Bonne fête, Victoria.

Elle me tend un gâteau de fête vert. Tout vert.

— Tiens, je l'ai fait ce matin. J'y ai pas goûté, à cause de mon régime, mais ça devrait pas être méchant...

Je ne pensais jamais qu'un gâteau au crémage vert - la couleur la moins appétissante du monde ! - pourrait me faire autant plaisir.

— Marie-Ginette, t'es la meilleure agente !

— Voyons donc, c'est pas grand-chose.

Marie-Ginette me regarde comme si elle espérait que je goûte au crémage, là, devant elle ! Je plante mes doigts dans le gâteau.

— Hum... ça goûte le brocoli. Ça doit être psychologique ! Mais c'est bon, je veux dire c'est excellent, Marie-Ginette !

En vérité, ce crémage a un goût de Crisco. Marie-Ginette a beau cuisiner avec tout l'amour du monde, c'est comme pour tout le reste, elle est une gaffeuse-née. Marie-Ginette est mon agente depuis quatre ans, mais déjà, le décompte de ses maladresses professionnelles est assez impressionnant.

N° 1 : La fois où elle m'a donné la mauvaise adresse de tournage et où je me suis retrouvée dans un salon de massage érotique !
N° 2 : La fois où elle a envoyé tous mes chèques à une autre Victoria Belmont de l'Union des artistes (on est deux dans le bottin).
N° 3 : Et la meilleure : la fois où elle m'a acheté un billet de train pour Toronto, alors que je devais me rendre à Ottawa pour le tournage d'une publicité hyper importante !

Je la connais tellement, Marie-Ginette, qu'à la voir se tortiller devant ma loge avec son gâteau vert, je sais que quelque chose cloche. Je brise la glace.

— Marie-Ginette, t'es sûre que ça va ?

— Ah, oui. Oui, c'est rien de grave, t'es ben fine, ma chouette.

Marie-Ginette se met soudainement à sanglo-ter. On croirait qu'elle va se briser en mille miettes, là, sous mes yeux.

— C'est juste que... j'ai oublié d'apporter mes médicaments avec moi en partant ce matin ! Mon Laroxyl, pour mon angoisse ! Pis là, Victor m'attend sur le plateau, mais je me sens comme si j'allais faire une grosse gaffe, perdre le contrôle, Victoria !

— Je savais pas que tu prenais des médica-ments, Marie-Ginette ?

— Ben, c'est-à-dire que j'en prends depuis la mort de mon Armand pis de mon Philémon.*

* Je n'en parlerai pas longtemps parce que c'est l'his-toire la plus triste du monde mais, il y a dix ans, Marie-Ginette a perdu son mari Armand et son fils de seize ans, Philémon, dans un accident d'auto. Le jour même où Philémon avait obtenu son permis de conduire. Fier comme un père, Armand avait voulu faire plaisir à son fils en l'emmenant faire un tour dans sa Chrysler. C'est là que c'est arrivé.

— Marie-Ginette, j'ai fini ma journée de tour-nage. Je vais aller les chercher tes médicaments, moi. Le chauffeur de la production va m'emmener. Allonge-toi dans ma loge, personne va savoir que t'es ici, OK ?

— Victoria, tu ferais ça pour moi ? Je peux pas croire que je te demande ça le jour de ta fête !

Marie-Ginette se dirige vers ma loge, l'air débiné.

— Oui, OK, je vais m'allonger dans ta loge, je vais faire ça. Ma chouette, tiens, prends les clés dans mon sac à main. Oh, pis tu vas trouver mon Laroxyl sur ma table de chevet, juste à côté de mon lit.

En regardant Marie-Ginette s'éloigner, je pense à une chose que j'ai souvent entendue à propos des gens qui meurent, « qu'ils restent un peu avec nous, parce qu'on les porte dans nos cœurs », et je me dis que c'est peut-être bien beau et bien vrai de penser une chose pareille, mais qu'à propos des gens qui meurent, faut pas se faire d'idées. Eux aussi, ils partent avec des bouts de nous. Des gros bouts qu'aucun Laroxyl au monde ne pourra remplacer.

Même jour, 15 h
Je ne suis plus chez Marie-Ginette
(Je m'explique !)

Mission accomplie : j'ai récupéré le Laroxyl de Marie-Ginette qui se trouvait, comme elle me l'avait dit, sur la table de chevet de son lit. Mais attention, c'est ici que ça se corse.

Dans la version où mon histoire s'arrête maintenant (ou presque), je serais retournée dans la fourgonnette de production, et j'aurais rapporté illico les comprimés à Marie-Ginette qui se mourait dans ma loge. Mais malheureusement, dans la version « faits qui se sont passés pour vrai », j'ai eu la mauvaise idée de profiter du fait que Marie-Ginette m'avait laissé TOUT le trousseau de clés de son triplex, pour entrer chez Victor ! (Je sais, mauvais plan !)

Mes intentions étaient presque nobles. J'espérais qu'en tombant sur une vieille paire de chaussettes puantes ou encore sur une boule de cheveux abandonnés au fond du bain, mon béguin pour Victor s'estomperait ou même, qu'avec un peu de chance, il disparaîtrait. Mais j'ai compris tout de suite, en mettant les pieds dans son appartement, que mon « idylle non réciproque » était condamnée à rester parfaite, immaculée, figée dans ce lieu trop propre : tout y était rangé à la perfection. (Inutile de préciser que je n'ai pas humé les petites culottes de Victor et que je ne me suis pas aspergée avec son parfum : je ne suis pas folle quand même !)

Mais, comme si ce n'était pas assez d'entrer chez Victor (des gens vont en prison pour moins que ça.), il a fallu que je mette la main sur... son journal intime ! (Il appelle ça son *Journal d'observations*, mais c'est INTIME quand même !) Misère, Victoria ! Des fois, on dirait que t'as un raisin à la place du cerveau !

P.-S. 1 : Je n'ai pas ouvert le journal de Victor. Pas encore... Il est dans un endroit sûr (sous ma taie d'oreiller).

P.-S. 2 : Une fois que Marie-Ginette a pris ses cachets de Laroxyl, les choses sont rentrées dans l'ordre (pour elle, du moins).

23 août, 19 h 30
À la maison

Mon père m'a téléphoné sur Skype ce soir, il a beaucoup insisté pour parler à ma mère.

— Passe-moi ta mère, juste une minute s'il te plaît, Victoria.

— Papa, maman est étendue dans son lit, elle se couche tôt maintenant, ce serait mieux que tu la rappelles demain.

— Elle dort ou elle dort pas ?

— Ben, elle dort pas tant que ça là... elle regarde un *Elle Québec.*

— Je veux la voir, Victoria... Je veux la voir, qu'il m'a dit.

— Bon OK, OK...

Je suis entrée dans la chambre de ma mère et j'ai posé l'ordinateur sur ses genoux. Ma mère a eu l'air surprise parce qu'elle a dit avec beaucoup d'urgence dans la voix : « Victoria, apporte-moi ma perruque ! », mais il était trop tard parce que l'ordinateur était déjà ouvert et que mon père avait eu le temps de la voir sans ses cheveux. Je crois que ça lui a fait un choc, à mon père, parce qu'il a juste dit un mot : « Violette », comme si tous ses autres mots étaient restés pris quelque part dans sa gorge.

J'ai saisi le bras de ma mère et je l'ai placé bien en évidence, devant la caméra de l'ordinateur.

— Papa, regarde bien, tu vas voir, je suis la plus jeune infirmière non diplômée du Québec !

J'ai changé le soluté de ma mère. Je sais pas pourquoi. Je crois que je voulais que mon père voie qu'on se débrouille comme deux pros sans lui. Mais, au bout d'un moment, je n'en pouvais plus de ce silence de marbre : mon père qui regardait ma mère sans rien dire, ma mère qui regardait mon père sans rien dire. Alors j'ai supplié mon père pour qu'on se parle, juste lui et moi, dans ma chambre. Il a acquiescé, promettant à ma mère qu'il la rappellerait demain.

Assise au bout de mon lit quelques minutes plus tard, je lui ai parlé sans mettre de gants blancs (comme on dit).

— Il va arriver quoi papa, si maman meurt ?

— Victoria, on n'est pas rendus là, tu le sais bien. Ta mère a besoin qu'on soit avec elle en ce moment, tu trouves pas ?

— Ben tu trouves pas que t'es un peu loin, toi, justement ?

Le silence de mon père était rempli de culpabilité. Le mien, de peine.

J'avais envie de parler à mon père, mais j'ai raccroché parce que parler sur Skype, c'est jamais drôle bien longtemps.

24 août, 10 h
À la maison

– Le pain doré, c'est comme la musique de Michel Rivard, on s'en tanne pas, ça réconforte !

Elle dit tout le temps ça, ma mère.

Tous les dimanches, on a pris l'habitude, elle et moi, de se faire du pain doré, en écoutant *La complainte du phoque en Alaska*. C'est grâce à ma mère que j'aime autant ça, moi, les dimanches matin. On pourrait dire qu'elle m'a légué son « amour du dimanche matin » !

Elle m'a appris plein d'affaires quand j'y pense, ma mère.

Liste (non exhaustive) de 10 choses
que ma mère m'a apprises

1. Ajouter du fromage râpé et de la cannelle sur son pain doré, c'est essentiel.
2. Savoir se méfier de l'océan : les vagues et toute forme de vie marine sont un danger. Quand on a les deux pieds dans l'eau, on est sur le territoire d'un autre !
3. Une conserve de blé d'inde en crème + des macaronis + du fromage en tranches = super repas.
4. La famille. Les amis. La créativité (sous toutes ses formes) : c'est tout ce qui compte vraiment.

5. Beaucoup d'artistes sont des génies, mais la plupart d'entre eux resteront inconnus.
6. Les gens aux petits pieds peuvent s'acheter des souliers pour enfants et payer la moitié du prix.
7. C'est l'œuf qui est venu avant la poule, pas le contraire. (Ce serait long à expliquer.)
8. On devrait toujours se méfier des gens qui n'aiment pas les animaux.
9. Ce ne sont pas les artistes les plus talentueux qui réussissent forcément, ce sont les plus motivés.
10. Si des filles habitent sous le même toit, elles finiront toutes par avoir leurs règles en même temps. (Étonnant, mais vrai.)

Fin de ma liste

Même si ma mère ne cuisine plus depuis quelque temps, qu'elle n'en a plus la force, elle fait toujours un effort pour honorer notre tradition de pain doré du dimanche matin.

Mais pas ce matin.

Non, ce matin à mon réveil, c'est au milieu de notre salon, assise par terre, que je la trouve.

D'où je suis, je la sens qui grelotte. C'est ça, ou encore l'allure de quelqu'un qui pleure, mais ça m'étonnerait parce que je n'ai vu ma mère pleurer qu'une seule fois et c'est le soir où mon père a pris l'avion pour Khartoum (la capitale du Soudan). Une dizaine d'albums photos gisent autour d'elle comme des corps morts. On dirait une barricade. Une barricade de souvenirs éreintés que ma mère tente d'ériger entre elle, moi, et ce foutu cancer qui s'est installé pour de bon dans nos vies. Ma mère s'évertue à vouloir faire de l'ordre dans ces images, comme un auteur médiocre essaierait d'écrire le grand roman de sa vie pour le Goncourt (c'est un prix important en littérature).

Ma mère ne sait pas que je suis là, sous le cadre de porte du salon, à la scruter, à la trouver encore plus triste que d'habitude. Le paquet de photos lui glisse des mains alors que le téléphone sonne beaucoup trop fort pour l'émotion du moment. Elle se hâte vers la cuisine pour aller répondre, pensant sans doute que c'est mon père qui téléphone (il avait promis de l'appeler, il me semble ?).

Ma mère décroche et je peux lire la déception sur son visage. Ce n'est pas mon père, au bout du fil. C'est tante Anna. Encore elle. C'est toujours la catastrophe quand elle appelle, et bien sûr, ma mère n'en place jamais une.

— Hein ?

— T'es sérieuse ?

— Tssss. Je comprends. Ah là là. Pauvre Anna.

Une conversation vide. Vide comme tante Anna.

Puis, ma mère se met à pleurer. Je n'entends que des bribes de la conversation.

— On dirait que j'ai peur, Anna. Ça m'avait pas encore traversé l'esprit on dirait, l'idée que je pourrais, comment dire ça, manquer de forces. Mais là, mon oncologue m'a montré des nouvelles radiographies de mes reins... C'était pas des ben bonnes nouvelles. Pis j'arrête pas de penser à Victoria, si tu savais, je fais juste ça, penser à elle. Je t'en parle hein, mais je veux surtout pas qu'on l'inquiète avec ça, ça la déconcentrerait pour le film.

Je ne veux plus rien entendre. Le film, les radiographies du Dr Grimard, ma mère qui sanglote. Je m'éloigne de la cuisine sans faire de bruit.

Sans que ma mère me voie, j'avance vers le salon, vers ce qui reste de nos vies : des souvenirs figés sur du papier glacé 4 x 8. J'empoigne le tout prestement, le fourre dans un sac à dos et m'enfuis, comme une voleuse. Je suis une voleuse et je cours. Je cours vers nulle part, vers n'importe où, pourvu que ce soit loin, pourvu que personne ne me dérobe le butin que j'ai au dos, seule pièce à conviction que ma mère possède pour se convaincre qu'elle peut partir, en bonne et due forme. Qu'elle peut partir, comme une mère, digne de ce nom. Partir avec un point final, parce que quand on meurt, c'est pour longtemps, je ne me fais pas d'idées. Je cours avec, au dos, le passeport de ma mère pour la mort. Sans ces photos, ma mère est condamnée à rester auprès de moi, à nous inventer de nouveaux souvenirs pour que je ne l'oublie pas. Sans ces photos, ma mère est condamnée à vivre.

Je m'accroupis au-dessus d'un égout comme on fait quand on veut faire pipi et je balance les scènes de nos vies, une par une, tout au fond du canal. Là où c'est bien noir et où personne ne va sauf pour faire pipi. Je les largue toutes, sauf une. Il s'agit d'un polaroïd pris dans une fête. Sur le cliché jauni de 1970, mon père est habillé en brun des pieds à la tête et paraît ridiculement jeune. Il fait rire ma mère d'un rire gai et franc. Un rire qui n'existe plus sur son visage. Je glisse la photo dans mon soutien-gorge et, à présent vidée de tout, je me lève et m'éloigne sans me retourner. Je me sens méprisable.

De retour à la maison, je suis accueillie par Marie-Marthe l'infirmière, qui me fait signe de ne pas faire de bruit : ma mère dort au salon. Je monte dans ma chambre et m'allonge dans mon lit. Quelque chose de dur sous ma taie d'oreiller me rend franchement inconfortable. Il s'agit du journal de Victor. Il s'y trouve depuis cinq grosses journées (sans que je l'aie ouvert), et je tiens à le dire, c'est un miracle que j'aie résisté jusqu'ici. J'ouvre une page du journal, au hasard. Au point où j'en suis, ce n'est pas un écart de conduite de plus qui pourra aggraver ma situation.

Je relis deux fois le même passage, pas certaine d'avoir bien saisi.

Victor parle... de *moi* ?

Montréal, 31 juillet.

Victoria tente de m'aider, mais sans grande conviction. Elle me fait d'étranges sourires. Elle semble heureuse de se retrouver ici, dans mon appart, plutôt qu'au théâtre. On dirait... on dirait qu'elle minaude! Oui, c'est ça, elle minaude. Elle me fait des yeux coquins qui me gênent. Elle aère ses jambes en battant sa jupe, prétextant qu'il fait chaud.

Quoi ? Malaise... J'ai le droit à encore une page, ça me concerne après tout !

C'est en lisant la dernière page du journal, celle datée du 18 août (c'est lundi dernier, ça), que je réalise que lire le journal intime d'une personne, c'est bien pire qu'entrer par effraction dans un appartement. Ce n'est pas qu'un journal défraîchi que j'ai entre les mains, mais le cœur tout entier de Victor.

18 août
Je trouvais son tatouage magnifique. Mais j'étais biaisé. Je trouvais surtout son avant-bras magnifique. Le même tatouage sur quelqu'un d'autre m'aurait possiblement fait faire la moue, ou même m'aurait inspiré du dédain.

— En effet. C'est un peu laid, un tatou. Et comme le tatoueur était pas si bon que ça, ça m'a donné un tatouage pas super beau. Mais c'était le prix à payer pour faire rire un ami !

— Ouin, sauf que tu vas être pris à jamais avec ça sur ton avant-bras ! Ceux qu'on porte, Victor et moi, partent au savon.

(Hein, c'est moi qui ai dit ça ! Victor parle de la fois où on a tourné une publicité ensemble... Je continue.)

J'avais été irrité par le commentaire de Victoria. Elle lui parlait comme si son tatou ruinait sa beauté. Aucun tatouage, même le plus raté, n'aurait gâché la superbe de notre réalisateur. Yann est l'incarnation même de la beauté. Dans le dictionnaire, sous l'adjectif « beau », c'est son visage qui devrait apparaître. C'est son anec-

dote du tatou, bien davantage que sa beauté, qui m'a fait chavirer.

Chavirer ? Est-ce que Victor a bien écrit ce mot ? CHAVIRER ?

Victor serait en amour avec... Yann Thomas ?

* Note à moi-même : Victoria, misère. Trouve le moyen de rendre le journal de Victor le plus vite possible ! (Sans que Victor s'en aperçoive !)

25 août, 5 h 34
Tournage d'*Une famille à l'envers*, jour 5

Ce matin, en entrant dans ma loge, je trouve une lettre pliée en quatre sur le pas de la porte.

Hey Victoria,
Juste pour te dire que pour le cirque, ça ne fonctionnera pas finalement. J'ai été invité à la première du film Roméo et Juliette *(tu sais, ils en ont fait un re-make?) et comme Charlotte et moi on est les têtes d'affiche* d'Une famille à l'envers, *les distributeurs du film aimeraient vraiment ça que ce soit elle qui m'y accompagne, qu'on soit vus ensemble devant les médias avant la sortie en salle. J'ai pensé que tu comprendrais!*
À +
Victor x

Je jette la feuille au fond de la corbeille, avec tout l'amour qui me reste pour Victor (et une partie de mon ego, je l'avoue). J'apprends, en sortant de ma loge en furie, que Charlotte est partie passer quelques jours avec sa famille aux Bergeronnes, sur la Côte-Nord. Elle a bien de la chance (pour l'instant), parce que si elle avait le malheur de me croiser en ce moment, j'aurais l'audace de me venger avec quelque chose de beaucoup moins drôle que du pollen de pissenlit! Idem pour Victor!

Et puis, comme si ce n'était pas assez, je tombe sur tante Anna dans le corridor ! Correction. Ce serait plus juste de dire que c'est ELLE qui me tombe dessus.

— Victoria, Victoria, faut que je te parle !

— Tante Anna, je suis pas vraiment dans mon assiette, ça peut-tu attendre ?

— Victoria, non ! Ça peut pas attendre !

— Ben quoi ! Regarde-moi pas de même, dis-moi ce que t'as à me dire.

— Ta mère est à l'hôpital.

Je ne dis rien. Tante Anna, qui déteste les temps morts, enchaîne.

— Tu m'entends ? Ta mère est à l'hôpital, Victoria !

Je regarde le sol pour éviter de croiser le regard de tante Anna, qui doit être aussi glacial que les mots qu'elle a choisis pour m'annoncer la nouvelle à propos de maman.

— Je vais aller la voir. Merci.

— OK, mais tu m'appelles, ma pinotte, si, si...

— Si quoi ?

— Si je peux être utile, tu sais bien.

Tante Anna me regarde comme si j'étais un labrador recalé aux examens de Mira. Son téléphone sonne, alors j'en profite pour m'éloigner parce qu'autour de tante Anna, il y a toujours moins d'oxygène que partout ailleurs.

À côté du mot égocentrique, dans le dictionnaire des synonymes, il devrait y avoir son nom, écrit en lettres moulées :

A-N-N-A

Même jour
Chambre 172-b

172-b. C'est bien le numéro qui est inscrit sur le post-it jaune que j'ai dans la main. Pourtant, dans la chambre devant laquelle je me trouve, il n'y a qu'un vieillard sans dentier qui écoute un soap d'après-midi à la télévision. Ma mère n'est pas là.

— Victoria, c'est bien ça ?

Je me retourne, et aperçoit le docteur au nœud papillon.

— Ta mère est plus là, Victoria. Personne t'a avertie ?

Je sens mes jambes ramollir comme deux spaghettis.

— Qu'est-ce que vous voulez dire exactement par... plus là ?

— Ta mère est retournée à la maison, Victoria. Elle est stable pour l'instant, elle a juste eu une vilaine chute de pression, mais elle va avoir besoin de repos, par exemple.

Je prends congé du docteur au nœud papillon et du vieillard sans dentier, et je me mets à courir dans les corridors de l'hôpital : je suis Forest Gump (en version moins cinématographique).

En arrivant à la maison, je marche sur la pointe des pieds pour ne pas réveiller maman. J'ai bien entendu ce que le docteur au nœud papillon m'a dit : maman a besoin de repos. Je m'allonge dans mon lit, mais les mots du docteur repassent en boucle dans ma tête et m'empêchent de trouver le sommeil : « Ta mère est stable... pour l'instant, Victoria. »

Stable comme dans « tu n'es pas orpheline, Victoria Belmont... pour l'instant ».

26 août, 9 h 50
Plateau d'*Une famille à l'envers*, jour de tournage : AUCUN ! (Je m'explique)

C'est parti : Victoria Belmont s'apprête à venger tous les cœurs brisés du monde. Les laissés-pour-compte. Les cœurs en miettes. Je me trouve devant la photocopieuse du secrétariat du plateau de tournage. Sans hésiter, j'active le bouton de mise en marche :

1-2-3-4-5...

L'extrait du journal de Victor à travers lequel il dévoile son amour pour Yann Thomas n'a plus rien d'intime, en vingt-cinq copies ! Je m'arrête à vingt-cinq. Vingt-cinq personnes au courant du petit secret de Victor : ce sera largement assez. Largement assez pour que Victor comprenne mon désarroi. Pour qu'il comprenne l'effet que ça fait d'être rejetée, utilisée, humiliée.

Je file en vitesse vers ma loge – où je cacherai les vingt-cinq copies jusqu'à ma prochaine journée de tournage –, oui parce que si on me surprenait ici, je pourrais difficilement trouver une raison acceptable de me justifier, car aucune de mes scènes n'est tournée aujourd'hui !

28 août, 19 h 01
Je suis à la maison (normal, on est jeudi).

On sonne à la porte. Qui ça peut bien être, je n'attends personne ? Misère, je porte un pyjama à pattes avec des imprimés de pères Noël ! (Le problème avec les pyjamas de Noël, c'est qu'on a l'air ridicule de les porter ONZE mois par année.) Ça m'embête d'aller répondre à la porte dans cette tenue. J'ouvre en soupirant.

— C'est original, j'ai jamais vu quelqu'un habillé en pyjama de Noël pour aller au cirque.

— Victor, qu'est-ce que tu fais là ?

Ma surprise de le voir là, devant ma porte, prime sur la gêne que m'aurait causée, en temps normal, mon pyjama à pattes de pères Noël.

— Ben, on s'était dit qu'on allait au cirque ensemble, t'as oublié ? On est jeudi.

— Mais, t'allais pas à la première de *Roméo et Juliette* avec Charlotte ?

— Je sais pas de quoi tu parles... Mais, si ça te tente pas, je comprends là.

— Misère. Charlotte Lemieux ! J'en reviens pas. Elle a écrit une fausse lettre !

Victor me regarde, perplexe. Avec mes cheveux en brousse et mon bol de céréales dans une main, je ne suis pas la *date* rêvée pour aller au cirque.

— Victor, bouge pas. Je reviens dans six minutes et je te promets que je vais porter une robe ou quelque chose de plus... décent... que des pères Noël !

— OK, mais fais ça vite, ça commence bientôt !

Je ne sais pas si Marie-Marthe est la meilleure infirmière du monde, mais une chose est certaine : elle est la meilleure en ville ! Même si elle s'apprêtait à quitter la maison quand Victor est arrivé, elle a accepté de rester auprès de ma mère à ma place pour que je puisse sortir ce soir.

Alors quarante minutes plus tard - un autobus, deux stations de métro sur la ligne orange et 0,8 km à pied -, Victor et moi on s'est retrouvés devant la marquise illuminée du théâtre :

Première de
***** L'HOMME AU PARAPLUIE *****
Guichets fermés : COMPLET

Je n'aime pas beaucoup le cirque habituellement à cause des clowns aux visages tristes et des contorsionnistes qui arrivent à toucher leur nez avec leur pied ou à entrer dans des boîtes en formant un U avec leur colonne vertébrale. Mais ce soir, Victor m'a emmenée voir un homme qui dansait avec un parapluie. Un homme, vieux ou jeune – c'était difficile à dire –, qui n'avait rien d'autre que ses jambes et ses bras et une lumière pour l'éclairer et qui avait l'air seul au monde, mais heureux quand même.

J'ai pensé à Marie-Ginette qui aurait bien aimé voir ça, elle aussi. Marie-Ginette n'aime pas spécialement les parapluies parce qu'elle dit toujours quand il pleut qu'« il fait un temps de chien », mais elle est un peu seule dans la vie et ce genre de spectacle, ça nous dit que c'est un peu pareil pour tout le monde, au fond. Ça lui aurait donné du courage, à Marie-Ginette.

Quand les lumières se sont rallumées, je me suis tournée vers Victor et je lui ai dit un truc du genre :

— Merci de m'avoir emmenée, Victor, c'est le plus beau spectacle que j'ai vu de ma vie.

Je me suis juré de détruire, dès ma prochaine journée de tournage, toutes les copies de son journal intime et surtout, d'emporter son secret : « Ton tatou m'a fait chavirer », dans ma tombe. Je me suis promis que même si Victor et moi on ne serait jamais un couple comme les autres – avec des enfants et un chien ou une maison de campagne –, je serais une amie pour lui. Une vraie. Du genre qui ne fouille pas dans ses affaires.

Dans l'autobus qui nous ramenait à nos petites vies sans clowns, Victor, qui ne m'avait pas adressé la parole de la soirée, m'a regardée droit dans les yeux.

— Si t'as envie, je te raccompagne chez toi ?

Inutile de dire que j'ai accepté sur-le-champ et que, quarante minutes plus tard, Victor et moi on se tenait devant la porte de ma maison. J'étais tellement heureuse que Victor me propose de me raccompagner, que je n'ai pas pensé qu'en entrant dans la maison, on tomberait sur ma mère. (Ce n'est pas un problème en soi, puisqu'il est tard et que la morphine contre la douleur endort ma mère si profondément que même un attentat nucléaire ne saurait la réveiller, mais j'ai eu peur que Victor soit effrayé, je crois.) Sur le perron de la maison, je l'ai apostrophé.

— Victor, j'ai pas une famille ben normale, tu vas voir !

— Tu penses que j'ai une famille normale, moi ?

— Peut-être pas, mais au concours de « qui a la famille la plus dysfonctionnelle ? », c'est moi qui gagne, Victor : mon père est parti vivre en Afrique, ma mère a un cancer incurable, ma tante est folle à lier et mon grand-père spirituel est originaire du Swaziland et il travaille comme portier à la Grande Bibliothèque !

— OK. Ben moi, mes parents m'ont volé tout l'argent que j'avais gagné en neuf années de tournage et je ne leur parle plus depuis huit mois. J'ai pas de sœur, pas de frère, et tout le reste de ma famille vit à Québec... Alors techniquement, il me reste que Marie-Ginette, qui, soit dit en passant, fait de la super bonne lasagne aux trois fromages.

C'est donc pour ça que Victor habite chez Marie-Ginette ? C'est pour ça, aussi, qu'il a écrit dans son journal qu'il était en colère contre sa mère ? Comment des parents peuvent oser voler leur propre enfant ?

P.-S. 1 : Je suis touchée que Victor m'ait confié son gros secret (enfin, un de ses deux gros secrets).

P.-S. 2 : J'ai laissé entrer Victor chez moi ce soir, mais il n'est pas resté très longtemps.

29 août, 11 h 10
Devant la porte d'entrée de la Grande Bibliothèque

Henri le portier aime les romans, alors je me dis que mes péripéties personnelles sauront le divertir.

La vérité, c'est que j'ai rudement besoin de parler à quelqu'un aujourd'hui.

Je m'assois près d'Henri, juste à côté de la porte principale de la bibliothèque. Août est si frais cette année qu'on se croirait au beau milieu de l'automne. C'est étrange comme les saisons s'accordent bien avec les sentiments, parfois. Henri s'allume un cigare comme une invitation à tout lui raconter. Je lui dis tout, absolument tout : maman et son cancer, papa et son Soudan, Victor et son amour pour un garçon (je lui parle même du journal intime que j'ai volé, même si j'en ai bien honte) et puis Charlotte, Charlotte et tout ce qu'elle a que je n'ai pas, bien sûr.

Henri aspire une grande bouffée de cigare, comme s'il cherchait à emmagasiner tous mes problèmes, quelque part dans ses poumons.

— Tu sais, jeune fille, mon grand-père disait toujours : « Celui qui veut améliorer son sort doit soulever la poussière avec ses pieds, au lieu de la garder collée à son derrière. »

Je soupire. Les citations d'Henri sont bien mignonnes, mais présentement, j'ai surtout besoin d'un conseil fait sur mesure pour Victoria.

– Tu veux que je m'adresse à toi en adulte, hein, jeune fille ?

– Oui. C'est ça, oui.

– Eh bien, je crois que tu en veux beaucoup à cette Charlotte parce que sa mère est très présente pour elle, alors que ta mère à toi doit livrer un combat énorme, un combat qui prend toute la place dans vos vies. Tu en veux à ton père de ne pas être auprès de vous en ce moment et, je me trompe peut-être, je crois que tu as peur pour ta maman, n'est-ce pas ? C'est la mort qui t'effraie, jeune fille. Et ce Victor, il te donne l'impression de ne jamais avoir peur, alors, auprès de lui, tu te sens bien. En sécurité. Mais c'est faux, jeune fille, tout le monde a peur. Tout le monde.

Je lève le regard vers Henri. Devant lui, je ne sens pas le besoin de cacher mes larmes. Elles sortent de mes yeux comme si une part de ma peine avait besoin de respirer un peu, à l'extérieur de mon corps.

– Oui, c'est un peu tout ça à la fois, oui. Mais Henri, vous savez, le mot que vous avez dit il y a un instant... ce mot...

– Quoi, la mort ?

— Oui. La mort... c'est ça. C'est surtout ça, je crois.

Je me tais. Comme si ce mot de quatre toutes petites lettres contenait à lui seul toutes mes peurs, comme s'il était la source de toutes mes erreurs, de tous mes mensonges.

Henri passe son index sous mon œil. Son doigt, rugueux comme l'écorce d'un arbre de deux cents ans, s'en va avec une larme.

— Tu sais, Victoria, l'oiseau vole dans le ciel, mais n'ignore pas qu'il retournera à la terre. On devrait tous vivre notre vie comme l'oiseau, tu ne crois pas ?

— Vous voulez dire quoi ? Qu'on devrait penser à la mort tout le temps pour être heureux, c'est ça ?

— Non. Pas tout le temps, mais qu'on ne devrait pas passer sa vie à faire comme si les gens, les choses nous étaient dues et qu'elles allaient être là pour toujours. Par exemple, là maintenant, tu sens le soleil sur ta joue, juste là ?

— Oui.

— Eh bien, si tu savais que c'était la toute dernière fois de ta vie que tu allais le sentir sur ta peau, que ferais-tu, jeune fille ?

— Je crois que... je voudrais le sentir bien comme il faut, pour être capable de m'en souvenir, je suppose.

– Eh bien moi aussi, c'est ce que je pense. Peut-être que si on vivait notre vie comme si une partie de nous s'en allait, à chaque jour qui se fane, comme si notre famille, nos amis, ne nous étaient que prêtés, on perdrait moins de temps.

– Hum, avec les mensonges, hein Henri, c'est ça ?

Henri éteint son cigare comme un enfant qui range son ballon au son de la cloche de récré. Il s'éloigne en me souriant.

Henri, il est beau. Pas comme Justin Bieber ou tous les autres. Il est beau parce que le soleil, il n'est pas sur sa peau, mais sous sa peau. Partout en lui, jusqu'au bout de ses doigts pleins de mes larmes.

31 août, 8 h 15
À la maison

CHARLOTTE A PUBLIÉ
UNE PHOTO SUR INSTAGRAM :
QUOI FAIRE ???

Il y a cette vieille expression, absolument juste, qui dit que parfois, « une image vaut mille mots ».

Ce matin, la photo que Charlotte publie sur Instagram depuis les Bergeronnes n'est accompagnée d'aucun texte. Sur l'image, on ne voit qu'une pierre tombale, trois roses séchées et un bout de papier, sur lequel c'est écrit en feutre noir :

À jamais dans mon cœur, grand-papa d'amour,
Charlotte xx

Je comprends maintenant pourquoi Charlotte a quitté si rapidement le plateau de tournage : son grand-père est décédé.

Pendant de longues minutes, je n'arrive pas à détacher mon regard de l'écran de mon cellulaire. Je voudrais écrire quelque chose à Charlotte. Lui dire que je pense à elle, au fond. Mais chaque fois qu'une phrase me vient en tête et que je l'inscris, sous la photo Instagram, je l'efface aussitôt. Je suis incapable de trouver les bons mots.

Texto n° 1 : *Je sais pas comment te dire ça mais... je pense à toi, Charlotte.*
Texto n° 2 : *Reviens-nous vite.*
Texto n° 3 : *Mes condoléances... pour ton grand-père.*
Texto n° 4 : *Hey... salut Charlotte. On pense à toi... ici à Montréal.*

C'est nul, Victoria Belmont !

NUL.
NUL.
NUL.

1er septembre, 20 h 45
Tournage d'*Une famille à l'envers*, jour 6 (dernier jour)

On tourne de nuit, ce qui veut dire que j'aurais dû dormir toute la journée pour être en forme pour le tournage de ce soir. Mais je n'ai pas pu fermer l'œil une seule fois. Je n'ai qu'une pensée en tête : récupérer les photocopies du journal de Victor dans ma loge et les balancer à la déchiqueteuse !

Mélanie, la régisseuse, vient me trouver dans ma loge pour m'accompagner au CCM.

— Salut Victoria ! Dernière journée de tournage. La bonne nouvelle, c'est que c'est la dernière fois que tu te fais installer tes broches !

Je fais un grand sourire Crest à Mélanie.

— Mélanie, j'ai vraiment besoin d'aller au petit coin, je vais me rendre au CCM tout de suite après !

— OK. Fais ça vite, ma puce !

Dès que Mélanie referme la porte, je saisis les vingt-cinq copies du journal de Victor et je cours en direction du secrétariat comme si j'avais une bombe nucléaire entre les mains !

J'entre dans la roulotte du secrétariat (en me jurant que c'est la dernière fois que je pénètre quelque part par effraction) et je fonce vers mon alliée : la déchiqueteuse à papier ! Je m'assure que personne n'a pu me voir à l'extérieur – c'est dans cette roulotte que l'équipe technique a l'habitude de se réunir pour les meetings de production – et je referme la porte derrière moi. Je crois bien que mon cœur stoppe net alors qu'un violent coup de vent propulse toutes les pages du journal au sol ! Par chance, le tout s'écrase en une pile bien droite à mes pieds. Je m'empresse de la ramasser et me dirige vers la déchiqueteuse.

BRRRRRRRR...

Mission accomplie ! Le ronronnement de la machine à déchiqueter me fait l'effet d'un hymne entonné en l'honneur de ma nouvelle résolution :

Victoria Belmont... Une vie sans mensonge !

Six minutes tapantes plus tard, je me retrouve devant Linda, la maquilleuse, qui amorce – pour une dernière fois – la pose de mes broches artificielles.

— C'est pas vrai que t'es laide avec des broches.

Je reconnais la voix de Charlotte (elle est donc déjà rentrée de la Côte-Nord ?). Elle s'installe tout près de moi pour une retouche coiffure.

Même si je ne parviens pas à bien la voir, à cause de Linda qui me joue dans les dents, je la sens changée, déterminée.

— Victoria, faut que je te dise, la lettre de Victor, qui disait qu'il voulait plus aller au cirque avec toi...

— Je sais Charlotte, elle était fausse.

— Ah, tu le savais ? Mais je te jure ! Je m'intéresse pas du tout à Victor, pas une miette ! J'ai écrit ça parce que... parce que je t'en voulais d'avoir mis du pollen de pissenlit partout dans ma loge.

Je me lève de ma chaise. La maquilleuse - qui épie sans pudeur notre conversation - me laisse aller, même si toute une rangée de broches se décolle de mes dents.

— Non, moi je m'excuse, Charlotte. Surtout pour ce que j'ai dit à propos de ta mère. Ta mère est super correcte au fond. Elle t'aime, tsé. Pis, je t'ai trouvée bonne dans le rôle d'Alix chaque fois que je t'ai vue jouer. Tu le mérites, ce rôle-là ! Pis tant qu'à y être, je m'excuse pour la fois où je suis entrée pendant ton audition.

Je me sens soudainement très confiante dans mon nouveau rôle d'amie (qui n'est pas un rôle, à bien y penser, puisque je suis tout à fait sincère).

— Hum, Charlotte. Y a autre chose que j'aimerais te dire. Je suis vraiment désolée pour ton grand-père. J'ai su qu'il est décédé. J'ai vu la photo que t'as publiée sur Instagram, hier matin. Tsé, j'ai vraiment essayé de t'écrire sur le coup, mais je trouvais pas les bons mots. J'avais peur que tu sois trop fâchée contre moi, je pense.

— C'est correct. Merci de me le dire. Ces choses-là se disent mieux en personne, de toute façon.

— Hum, je suppose que oui.

Charlotte expire un bon coup.

— Je l'aimais vraiment beaucoup, mon grand-père. C'était quelqu'un de spécial. On dirait qu'il voyait pas la vie comme tout le monde. Un peu comme toi... au fond.

— Comme moi ?

— Oui ! T'sais... t'es pas toujours facile à suivre, Victoria Belmont, mais je trouve que, ben... que t'es spéciale.

— Hum, ben merci, que je lui réponds, flattée.

— Bon... on est des genres d'amies, là ?

— Mettons que j'irai plus mettre des pissenlits dans tes affaires, c'est déjà ça !

Charlotte rit et se permet de me narguer !

— Ah ouais, ben à ta place, je retournerais voir Linda, pas sûre que Yann trouverait ça ben beau ta demi-rangée de broches à la caméra !

Je souris, puis retourne m'asseoir devant Linda. Je n'ai pas changé d'avis sur le fait que Charlotte a un petit air de pingouin (ben quoi !)

mais à nous voir toutes deux côte à côte, je me dis que l'amitié, ça semble drôlement plus simple que l'amour.

2 septembre, 5 h 30
À la maison

Quand j'entre dans la maison au petit matin, au retour de ma dernière nuit de tournage, c'est sur le canapé que je trouve ma mère allongée. Il est 5 h 30 et Félix Leclerc chante *L'hymne au printemps* dans notre salon. Je connais bien cette chanson parce que ma mère, quand elle la fait jouer, est incapable de ne l'écouter qu'une seule fois. Quand j'étais petite et qu'elle la faisait passer en boucle, je lui disais :

— Maman, ça use la chanson que tu la remettes sans arrêt !

Et elle me répondait :

— Victoria, quand tu manges trois réglisses, est-ce que la troisième goûte moins bon que la première ?

Et moi, je la narguais :

— Non, pas la troisième, mais la dixième, oui ! Elle goûte plus rien, la dixième réglisse, maman !

Et alors, elle remettait la chanson et disait un truc du genre :

— La poésie c'est bien meilleur que la réglisse, un jour tu vas comprendre que c'est inépuisable, Victoria.

Je m'allonge tout près de maman et je laisse Félix user sa chanson.

— Maman... ferme les yeux, OK? Il faut que je te dise quelque chose, mais j'aimerais mieux que tu aies les yeux fermés pendant que je te parle. C'est trop laid, ce que j'ai à te dire.

Ma mère pose une main sur son visage. Par la fente de ses doigts, je vois ses yeux, bien ouverts, mais je me lance quand même.

— Maman, je t'ai menti. Le premier rôle dans le film, c'est pas moi qui l'ai eu. C'est pas moi.

— Je sais, ma poupée. Ça fait longtemps que je le sais.

— Quoi? Comment ça, tu sais? C'est tante Anna qui...

— Non ma poupée, tante Anna y est pour rien. Je te connais, c'est tout. Et je te connais tellement que je savais que tu viendrais m'en parler, j'attendais juste que ce soit le bon moment, que tu sois prête. Que tu me fasses assez confiance.

— Maman, tu peux les ouvrir, tes yeux.

— Victoria, je suis fière de toi, tu le sais ça? Ce que tu vas choisir de faire dans la vie, ma poupée, ça changera rien à tout ça. Rien de rien de rien, OK?

Maman, qui trouve toujours le moyen d'ajouter un peu d'extravagance à nos vies, me dit:

— Victoria, j'ai une idée! On va aller voir le soleil se lever, ma poupée.

— Dehors ? Mais maman, c'est la nuit encore et il fait froid, ton médecin dirait que...

Je n'ai pas le temps de terminer ma phrase que maman a déjà retiré son soluté et drapé sa grande couverture autour de ses épaules. Je la suis, alors qu'elle se dirige à pas lents vers l'extérieur de la maison.

P.-S. : Il y avait de l'eau partout au sol, c'est la rosée du matin qui fait ça. Et même si on trouvait ça joli, ça nous embêtait de nous mouiller, alors maman et moi on a eu l'idée de s'asseoir sur la Volvo grise de papa qui ne sert plus à rien ni à personne depuis un an. Il a fallu qu'on enlève un tas de feuilles séchées sur le capot avant de pouvoir s'y installer. On s'est vite aperçues que c'était humide et sale, alors on est restées. Je ne peux pas donner beaucoup de détails sur ce qui s'est passé, parce qu'il y a des choses qui s'expliquent moins bien que d'autres, mais je peux dire qu'on est restées là, côte à côte, à attendre je ne sais quoi. La fin de l'obscurité sans doute. Puis, sans grande surprise, le soleil s'est levé et on a senti que c'était le temps pour nous de rentrer. C'est là que j'ai compris que tout a une fin, spécialement le bonheur.

Même jour, 22 h 45
Dans ma chambre

Sous la couette de mon lit, plongée dans l'obscurité, j'ai composé un texto que je m'apprête à envoyer à Victor, et dans lequel je lui avoue la vérité à propos de son journal intime. Je détourne la tête de mon écran de cellulaire (pour être certaine de ne pas manquer de courage), et je crée l'irréversible en cliquant sur « Envoyer ».

Allô Victor.

Jsp si tu vas me pardonner un jour, mais tant pis. Je t'écris pour te dire que j'ai fait une grosse niaiserie. Je sais pas trop comment dire ça avec des mots acceptables... mais j'ai volé ton journal intime. Je l'ai lu (j'ai honte) et j'en ai même fait des copies (25) QUE J'AI TOUTES DÉCHIQUETÉES, je te jure ! Je suis trop désolée. C'était le bout où tu parles de Yann... de ses tatous que t'aimes bien. Mais inquiète-toi pas, je parlerai pas de ton secret à personne. Même si j'ai envie de te dire qu'il y a rien de mal avec le fait... d'aimer un gars. (Je sais que c'est pas le moment pour t'écrire ça, mais c'est plus fort que moi.) Je capote ma vie en ce moment. Je te raconterai comment et pk j'ai fait ça, si tu veux encore me parler. Si tu veux me pardonner, un jour.
Vic xx

Voilà. C'est envoyé.

Dans la minute qui vient, Victor saura la vérité.

Il mérite de savoir.

Et notre amitié, ou ce qu'il en reste, le mérite aussi.

3 septembre, 19 h 02 ou 19 h 12 ? (La pluie qui tombe sur ma montre brouille le cadran.) Chez Victor

— Je suis pas fâché, Victoria, c'est OK.

Je regarde Victor, incrédule.

— Comment tu peux ne pas être fâché ?

Je me trouve sous le cadre de porte de chez Victor avec, dans les mains, son *Journal d'observations*. Il pleut sur moi comme si le ciel faisait une grande vente de garage et que toute l'eau du monde devait être écoulée. J'ai l'air d'un piteux canard. Merci, Dame Nature ! Le *timing* est excellent ! Victor me fait signe d'entrer, de m'asseoir. Il me dit un truc du genre : « Assieds-toi, si tu veux vraiment tout savoir ça va prendre du temps. » Je m'installe piteusement à une extrémité de son lit, alors que lui prend place sur la chaise d'ordinateur. Je le regarde pivoter de gauche à droite, son journal intime collé à la poitrine.

Victor m'apprend que, même avant de recevoir mon texto hier soir, il se doutait bien que c'était moi qui lui avais volé son journal et que c'est pour cette raison qu'il a décidé de me raccompagner chez moi, le soir du cirque. (Il ajoute être allé fouiller dans ma chambre, alors que je le croyais à la salle de bain. Mais sur ce point, je ne peux pas lui en vouloir !)

Je me sens rougir de honte, alors que Victor me raconte qu'une des photocopies de l'extrait de son journal a été trouvée par nul autre que... Yann Thomas ! Notre réalisateur aurait trouvé une feuille sous la chaise de son bureau. (Elle a sans doute glissé sous sa porte sans que je m'en aperçoive à cause du coup de vent qui a fait tomber toute la pile ! J'aurais donc, sans m'en rendre compte, déchiqueté vingt-quatre des copies, et non vingt-cinq !) Comment un détail si CA-TA-STRO-PHI-QUE-MENT important a pu m'échapper !? Misère, Victoria !

— T'es pas sérieux ! Mais c'est terrible ! Je veux mourir ! Je m'en veux tellement !

— Non, ça va, je te jure. Yann m'a appelé tout de suite après l'avoir lue. Il a deviné que c'était moi l'auteur. L'extrait que tu as copié était assez éloquent, merci. C'est celui où je parle du tournage de la pub de pharmacie dans laquelle on jouait deux punks, toi et moi. Comme on était juste deux acteurs à jouer sur le plateau et que je parlais de toi, c'est assez évident que l'auteur de la page trouvée, c'est moi.

— Il t'a dit quoi ?

— Qu'il voulait me voir.

— Il était fâché ?

— Non, il était flatté. C'est ce qu'il m'a dit. Il est venu ici. Il s'est assis exactement où t'es assise présentement et il m'a dit qu'il était flatté. Et qu'évidemment, il était pas en mesure de partager mes sentiments, en tant qu'hétéro amoureux de sa prima donna. Mais il a insisté sur le fait qu'il était touché et qu'il m'appréciait beaucoup. Il est resté longtemps. Pas aussi longtemps que j'aurais voulu, mais longtemps quand même. Il voulait pas qu'il y ait de malaise entre nous pendant le reste du tournage. Et il a ajouté « pour le reste de notre vie d'amis, aussi ». C'est ça qu'il a dit. Avant de partir, il m'a même fait une accolade qui a duré deux bonnes minutes. Mais je suis pas certain de la durée exacte parce que j'ai quand même pas compté ! Je voulais en profiter.

— Il est cool, Yann.

— Certain qu'il est cool. Il sait que je veux pas que ça se sache. Il m'a dit qu'il allait garder ça pour lui. Et je suis sûr qu'il va le faire. Quand j'ai refermé la porte, j'ai pleuré de soulagement. C'était la première fois que je disais à quelqu'un que je suis... homosexuel.

Victor prononce ce mot, homosexuel, avec une douleur qui semble s'apparenter à celle que je ressens quand j'aborde ma peur de la mort de maman. Comme si les mots, parfois, jetaient un éclairage trop cru sur des sentiments encore flous, mal apprivoisés.

– Je m'excuse Victor, on est encore amis, hein ?

– Ben oui ! Mais pas question que Marie-Ginette te repasse les clés de mon appart, par exemple !

Je ris (de soulagement, je crois bien). Victor s'approche de moi et enroule ses bras autour de mes épaules : une caresse qui n'a pas d'autre ambition que celle d'être... une caresse.

IMPORTANT

Ici, je ferai un gros saut dans le temps. Un saut de patte d'éléphant africain, ou encore, un saut de baobab de trois cents ans (mon père m'a dit que ce sont des arbres aussi larges que des camions dix-huit roues, c'est considérable). Bref, un énorme saut parce que je n'ai pas écrit dans mon journal depuis SIX LONGS MOIS !

Cet automne, même si j'ai passé beaucoup de temps avec Victor (on est allés voir toutes les pièces de théâtre en ville !), je me suis vraiment ennuyée de Charlotte, qui est repartie vivre aux Bergeronnes avec sa mère. C'était un peu après la fin du tournage d'*Une famille à l'envers*. Après le décès de son grand-père, Charlotte a eu besoin de se retrouver auprès de sa famille (elle a décidé de partir, même si un tas de producteurs lui ont fait des offres d'auditions pour d'autres films).

On s'écrit souvent, Charlotte et moi. Tous les jours. Ça s'appelle une relation épistolaire, parce que notre amitié se bâtit autour des mots. De l'écriture. Bon, même si c'est par Facebook, je trouve que c'est très *vintage* comme façon de faire. En tout cas, ça me donne l'impression que notre amitié a quelque chose de très intime, de spécial.

L'autre jour, Charlotte m'a écrit que, quelques semaines avant de mourir, son grand-père s'était mis à avoir des trous de mémoire pas possibles et à oublier les noms et les visages des gens. Elle a tenu à me confier que même si, jusqu'à la fin, son grand-père s'est souvenu de son visage à elle, tout ça lui avait fait beaucoup de peine. Elle a écrit : « C'est comme si des petits bouts de son âme s'en allaient, s'évaporaient, là, devant nous... et qu'on n'y pouvait rien. Rien du tout. »

Je ne lui ai pas dit sur le coup, à Charlotte, mais je crois que je comprends un peu ce qu'elle a pu ressentir. Ma mère n'a pas exactement des trous de mémoire, mais depuis quelque temps, elle raconte des choses qui n'ont pas beaucoup de sens. Des choses comme : « Victoria, penses-tu que ton père a sorti les décorations de Noël ? » Mon père ne peut pas avoir sorti les décorations de Noël parce que Noël est passé depuis longtemps et que mon père... il est au Soudan. (J'en ai parlé au docteur au nœud papillon et il a dit que c'était possible que des métastases se soient logées dans la tête de ma mère.) Ça m'a fait penser que moi, c'est ma peine qui s'est logée quelque part dans ma tête. Qui est devenue comme une sorte de voyageur qui se déplace avec moi un peu partout, mais que j'ai commencé à apprivoiser, je crois. Je vais en parler à Charlotte.

P.-S. 1 : Henri le portier et moi, on s'assoit encore tous les deux devant la Grande Bibliothèque pour discuter. J'ai convaincu Henri de ne plus fumer de cigares en lui disant qu'aucune fille qui se respecte ne sortira avec quelqu'un qui sent autant la fumée. (Henri a soixante-douze ans, mais il me répète sans arrêt que l'amour de sa vie se trouve quelque part dans les rues de Montréal, à l'attendre.)

P.-S. 2 : Marie-Ginette m'a fait goûter à sa légendaire lasagne. Maman ne cuisine plus depuis des siècles, alors je dois dire que je ne sais pas ce qui m'a rendue le plus heureuse, manger un vrai repas fait maison, ou que Marie-Ginette m'ait laissée entrer chez elle ? Mais, peu importe, Victor avait raison sur un point : c'est vrai qu'elle est bonne en titi, la lasagne de Marie-Ginette !

SIX MOIS PLUS TARD

24 février, 20 h 21
Chez Marie-Ginette (oui, c'est bien ce que j'ai écrit)
Ailleurs dans la ville : soins palliatifs de ma mère, jour 1

Je prends mon bain chez Marie-Ginette ce soir.

D'ordinaire, c'est Victor qui pourrait avoir droit à ce type de privilège (je doute que Victor accepterait une telle invitation mais Marie-Ginette, elle, serait sûrement ravie de la chose). Mais je ne suis pas heureuse une miette parce que si c'est moi qui suis dans le bain de Marie-Ginette ce soir, c'est parce que ma mère a perdu une quantité de sang pas banale dans son lit ce matin et qu'elle a été transportée à la « Maison de soins palliatifs St-Raphaël », à Montréal. C'est un endroit où apparemment on envoie les gens quand la science est au bout du rouleau. Marie-Ginette m'a accueillie chez elle parce qu'on ne m'attendait nulle part ailleurs et que c'était sûrement mieux pour tout le monde. Elle m'a dit que si je prends mon bain et que je me repose, on ira voir ma mère demain. Marie-Ginette me dit les choses comme si j'avais six ans.

Pour me faire plaisir, elle a versé dans le bain presque tout le contenu d'une bouteille de mousse bon marché à la lavande. Il y a, dans ce bain coulé juste en mon honneur, une quantité d'eau qui pourrait suffire à abreuver au moins dix des enfants soudanais de papa, enfin je crois. Je n'ai plus six ans et le liquide sirupeux bleu qui va se greffer aux cernes déjà bien en évidence sur les parois du bain est un peu dégoûtant, à vrai dire. Mais ce liquide a l'avantage de produire une quantité phénoménale de mousse. Je peux donc immerger tout mon petit corps dans l'eau, sans avoir à l'exhiber devant Marie-Ginette qui elle, semble bien résolue, depuis la toilette sur laquelle elle est assise, à rester auprès de moi. Sous l'épaisse couche de mousse qui me sert de paravent, Marie-Ginette ne voit pas mes seins qui ont oublié d'avoir leur puberté. Tapie sous l'écume savonneuse, j'oublie le malaise du moment et je me plais à tenter de deviner les seins de Marie-Ginette, sous les plis de sa robe fleurie jaune moutarde : deux masses de chair au poids démesuré. À choisir, je pense que j'aimerais mieux avoir les seins démesurés de Marie-Ginette, que les miens. On doit se sentir moins vide du dedans, avec des seins pareils. On doit sentir qu'entre nous et le monde, il y a ces seins démesurés. Quelque chose comme une protection.

Marie-Ginette, toujours installée sur sa toilette, fait semblant de s'intéresser au numéro 65 du *Reader's Digest* de l'été 1965. Elle tourne les pages trop rapidement pour la quantité de mots qu'il y a, alors je sais qu'elle ne le lit pas pour vrai. Marie-Ginette se vante souvent d'être la personne qui possède le plus grand nombre de *Reader's Digest* en Amérique du Nord et elle tient à sa petite collection comme s'il s'agissait d'un trésor national ! Mais ce numéro 65 de l'été 1965 est particulièrement défraîchi. Un *Reader's Digest* défraîchi comme le corps de Marie-Ginette, qui est usé de partout. J'y pense et je comprends mieux pourquoi elle dit tout le temps que « la vie l'a fait vieillir avant son temps ». Moi aussi je me sens vieillie avant mon temps. Pas vieillie comme un *Reader's Digest* de l'été 65, quand même, mais peut-être un catalogue IKEA des années 90.

Ce qui est bien, avec Marie-Ginette, c'est qu'elle fait partie de ces gens qui n'ont pas peur du silence. Elle dit même que le silence est une musique et que si on arrêtait de parler une fois de temps en temps, cette musique rendrait le monde meilleur. Marie-Ginette dit des choses, comme ça, si poétiquement médiocres, que c'en est beau.

Je sens l'air froid de février qui s'échappe d'une fente de la fenêtre laissée entrouverte. Ça gèle le dessus de mes cheveux mouillés. Il y a même un flocon qui vient s'échouer dans l'eau de mon bain, mais ça me plaît parce que ça me rappelle quand j'étais petite et que mon père se chicanait avec ma mère pour qu'elle accepte de laisser la fenêtre de leur chambre ouverte, en plein hiver ! Ça m'amusait de les épier, depuis le corridor. Mon père disait à ma mère :

– Violette, c'est bon pour la santé de respirer de l'air frais ! Pis en plus, tu te colles sur moi quand y fait froid !

Et ça faisait rire ma mère qui lui répondait :

– T'as pas d'allure, y a de la neige sur le tapis. J'ai l'impression de dormir dans un congélateur.

Je regarde la lune, et je me dis que peut-être qu'en ce moment même, ma mère la regarde, elle aussi. Ça lui ferait sans doute du bien si j'allais passer la nuit collée contre elle, au chaud dans son lit palliatif. Je n'aurais qu'à filer en douce par la porte du balcon et à monter dans le bus n° 15 qui passe à toutes les demi-heures, juste au bout de la rue. Je le ferais sans trop d'inquiétude pour Marie-Ginette, parce qu'elle est sourde comme un pot sans son appareil auditif. Je le ferais pour aller rejoindre ma mère (même si dormir dans un lit palliatif, ça doit pas être de tout repos), mais le problème, c'est que je ne sais pas où elle se trouve cette maison où on va, quand la science est au bout du rouleau. Je sais que l'endroit se trouve au bout de la rue Lajoie et que la rue Lajoie est une rue guindée dans un quartier guindé de l'ouest de la ville, mais c'est tout ce que je sais, et ce n'est pas assez. Merde, j'ai envie de dire un gros mot d'église, mais Marie-Ginette dit que les gens qui sacrent sont des gens sans ressources. Je ne suis pas sans ressources. Je vais me contenter de dire ceci : ce centre à la con, pour les abandonnés de la science, se trouve au bout de la rue Lajoie. Je ne vois pas ce qu'il a de joyeux dans le fait de perdre une quantité de sang considérable.

Je me résigne, malgré mes bonnes intentions envers ma mère, à passer la nuit chez Marie-Ginette. Je suis allongée dans le lit de son fils Philémon (oui, celui qui est mort dans un accident d'auto) et je trouve que les draps sentent le lilas. Le lilas, comme l'odeur de Marie-Ginette. Elle doit venir s'allonger ici des fois, quand elle se sent loin de son Philémon. Il y a des petites taches noires imprimées sur l'oreiller. Ça fait comme des petits ronds d'encre. Je parie que c'est du mascara. La peine de Marie-Ginette, imprimée pour toujours sur une taie d'oreiller.

* Note à moi-même: commander demain un flacon du parfum de maman qui sent l'oranger et la cannelle,

juste au cas où, comme Marie-Ginette, je n'aurais plus personne à serrer un de ces jours.

Le visage bien calé dans le creux de la hanche de Marie-Ginette qui reste là, à me caresser le front comme si la nuit s'annonçait sans fin, je sens mes yeux cligner de plus en plus vite. Ça fait comme des battements d'ailes. Des ailes de mouches fatiguées. Des ailes de mouches au bout du rouleau. Les yeux sont toujours les derniers à abandonner la guerre du sommeil.

Ça fait longtemps que je ne me suis pas sentie un peu bien quelque part. Mais là, sous la couette de Philémon, avec l'odeur de lilas, à écouter la musique du silence contre les hanches grasses de Marie-Ginette, je crois que je suis un peu bien. J'ai un peu honte de le dire, en imaginant ma mère seule dans son lit palliatif, mais Marie-Ginette a l'air un peu bien, elle aussi. Je crois même que je m'endors.

Bonne nuit Philémon.
Bonne nuit maman.
Bonne nuit... Marie-Ginette.

25 février, 18 h 20
Soins palliatifs de ma mère, jour 2

Ma mère a l'air d'une astronaute (une Julie Payette fatiguée) avec tous ces fils aux bras et ces appareils qui battent la mesure au même rythme que son cœur.

Bip.
Bip.
Bip.

C'est tout ce que j'ai à dire pour l'instant.

26 février, 14 h 30
Soins palliatifs de ma mère, jour 3

J'ai raté le cours de géo de monsieur Diodon pour aller voir ma mère aux soins palliatif cet après-midi. Normalement, j'aurais été plutôt heureuse de manquer l'école, mais monsieur Diodon raconte toujours autant d'histoires en oubliant de nous enseigner le vrai programme scolaire et ça me change les idées.

Mon père nous appelle plus souvent depuis que ma mère est au centre St-Raphaël. Tous les jours presque. C'est qu'il doit sentir que l'hiver s'installe pour de bon, même dans notre famille.

Le docteur au nœud papillon est venu rendre visite à ma mère ce matin et il a dit :

— Violette, vous avez bonne mine.

J'ai trouvé que c'était une drôle de chose à dire à quelqu'un qui respire grâce à une machine, mais je n'ai pas réagi parce que ça a eu l'air de faire plaisir à ma mère, qui lui a souri.

5 mars, 19 h 30
Soins palliatifs de ma mère, jour 10

Ce soir, c'est la première d'*Une famille à l'envers*, au cinéma Excentris. J'ai convaincu Charlotte d'engager une styliste pour l'aider à dénicher la robe parfaite. La projection aura lieu devant DEUX CENT SOIXANTE-ET-ONZE personnes, si tout se passe comme prévu !

Je suis contente parce que Victor, qui a visionné le film parce qu'il devait refaire des voix sur certaines scènes, a dit que c'était franchement bon. Je lui ai demandé si c'était aussi bon que du Victor Hugo et il a dit un truc du genre : « Charrie pas, quand même ! »

J'ai décidé de ne pas aller à la première ce soir. J'ai envie de rester auprès de ma mère. Tante Anna a donc trouvé le moyen de dénicher une copie du film pour qu'on puisse l'écouter, ma mère et moi, sur la petite télévision du centre St-Raphaël. J'ai demandé à tante Anna de ne rien dire, pour garder la surprise.

Je me suis cognée sur tous les murs de la petite toilette en voulant enfiler une robe de soirée. Une robe bleue, pleine de paillettes, comme celles que ma mère et moi on portait, quand elle me sortait, les soirs de première. Je me regarde dans la glace et je trouve que l'année qui a passé s'est imprimée un peu partout sur mon visage. Je me sens différente. Je vais rejoindre ma mère et je lui annonce qu'on va pouvoir regarder le film nous aussi, que c'est grâce à tante Anna. Elle semble heureuse, même si elle ne peut pas crier ou sauter sur son lit ou dire hourra.

Je prends le rouge à lèvres Chanel *Rouge-vie* de ma mère et je lui en applique un tout petit peu sur la bouche, juste pour dire qu'on s'est mises belles toutes les deux pour l'occasion.

Alors que je m'apprête à démarrer le film, on cogne à la porte. Un homme dont la voix m'est familière nous interpelle depuis l'extérieur de la chambre.

– C'est bien vous qui avez commandé une pizza extra large sans champignons, double fromage ?

Je ne comprends pas. C'est bien de ma pizza préférée qu'il s'agit. Mais je le jure, personne ici n'a commandé de pizza !

– Non, non. On n'a pas commandé de pizza, monsieur !

– Ah non ? Bon, ben je vais la rapporter au restaurant d'abord !

– Ben là, vous êtes quand même pas obligé de la rapporter, on aime ça la pizza, nous...

La porte s'ouvre et j'aperçois... mon père ?

– Papa ? Papa ! T'es là ? T'es revenu !

Je crois rêver, mais non. C'est bien mon père qui se tient sous le cadre de porte, avec dans les mains une pizza extra large sans champignons, double fromage ! Je me précipite dans ses bras (il en échappe presque la boîte).

— Ah, ma belle poupoune.

— Papa ! Je suis contente de te voir, si tu savais comment je suis contente !

— Moi aussi, je suis tellement heureux de te voir, mon loup.

Je serre mon père si fort que j'en ai les bras engourdis.

— Bon, Victoria, si je te laisse manger une pointe de pizza, tu vas me laisser embrasser ta mère ?

— Hum. Oui oui ! Vas-y donc ! que je lui réponds en riant.

Pendant le visionnement du film, je tiens la main de mon père sans relâche, comme pour être bien certaine que je n'ai pas rêvé sa présence.

Mon père est là.

Enfin.

J'envoie un texto à Charlotte et à Victor.

Salut vous deux. Juste pour dire que je pense à vous. Vous devez être en train de boire du champagne et manger des canapés de snobs (genre caviar, eurkkk !).

Moi je mange de la pizza extra-fromage avec mes parents en écoutant Une famille à l'envers *en DVD ! Mon père est rentré du Soudan ! Je sais que je devrais être triste en ce moment et vous allez peut-être trouver ça bizarre, mais là, à 19 h 48, je pense que je suis heureuse. J'ai hâte de vous raconter. Bonne première !*
Vic xxx

Ce soir, au centre St-Raphael, ma mère, mon père et moi, on a vécu la plus belle première cinématographique de l'histoire. Dans mon lit, avant de dormir, je repense à ce qu'Henri le portier m'avait dit à propos du bonheur. Qu'il faut apprendre à vivre nos journées comme si elles allaient être les dernières, ou un truc du genre.

Je parie qu'il aurait été heureux, Henri, de nous voir tous les trois.

P.-S. : J'espère qu'Henri ne m'en veut pas d'être allée le visiter moins souvent ces derniers temps.

8 mars, 13 h 20
Soins palliatifs de ma mère, jour 13

Ma mère s'en va, là, maintenant. Mon père, tante Anna et moi, on se trouve autour d'elle. C'est un lit minuscule, mais on a quand même tous trouvé le moyen de s'y installer, comme des bons matelots qui s'entasseraient dans un radeau pour être certains de ne pas manquer le voyage. Ma mère rompt le silence, avant de fermer les yeux pour de bon.

— Prenez soin les uns des autres, mes cocos.

Et puis ce son.

Bip.
Bip.
Bip.

....

Plus de pansements, maman.
De piqûres.
De cheveux qui tombent.
De soleil de midi, qui fait mal aux yeux.

Je m'approche de ma mère et me penche au-dessus de sa tête, pour lui chuchoter à l'oreille :

— Maman, c'est d'accord. Pars avec une partie de moi, si tu veux. Mais c'est non négociable. Je te garde avec moi aussi. Partout. Tout le temps.

14 mars, 9 h 50
Maison Darche, à Brossard

On a inscrit le nom de ma mère en lettres moulées sur une affiche très haute et très large qui a été posée juste à l'entrée d'une salle. Une salle énorme qui sent les fleurs coupées, les fleurs toutes mélangées. Une salle remplie de gens mal à l'aise.

VIOLETTE BELMONT-GRENIER
1972-2015
Cérémonie de 11 h

Devant la pièce adjacente à celle où je me trouve, j'aperçois une pancarte sur laquelle on a inscrit le nom d'une autre personne décédée. Toutes ces portes, ces affiches et ces familles en deuil, ça fait un peu *marché de la mort*, je trouve. La cérémonie en l'honneur de ma mère aurait dû avoir lieu dans un parc ou sur le bord d'une plage exotique où il y aurait eu des oiseaux et des enfants. Des enfants qui seraient tombés sans faire exprès et qui auraient pleuré trop fort.

Je vais rejoindre mon père, qui est assis sur une chaise dans le fond de la pièce.

— Ma robe est trop longue, papa, elle me va aux genoux.

Je n'avais pas de robe noire, alors on a dû acheter celle-là en vitesse. Je me sens ridicule.

— On porte du noir, Victoria, justement parce que c'est pas important, dans des journées comme aujourd'hui, la façon dont on est habillés.

J'acquiesce et constate que mon père porte deux bas de différentes couleurs.

— Victoria, je vais devoir retourner au Soudan pour quelques semaines. Le temps de voir comment on va s'arranger tous les deux, tu comprends ?

Je devrais être en colère, dire à mon père qu'il n'a pas le droit de m'abandonner. Pas en ce moment ! Mais il n'y a plus de place pour aucune tristesse dans la vie de Victoria Belmont.

— Tu pourrais aller vivre chez tante Anna, le temps que...

— Le temps que tu sauves encore plein d'enfants, oui, je sais.

— Non, le temps que je ferme mes dossiers au Soudan et que je trouve une solution pour qu'on soit ensemble, Victoria.

Je ronge mes ongles. C'est étrange mais, même si ma mère n'est plus là, j'entends sa voix qui me dit : « Prends un coupe-ongles, Victoria ! » C'est donc vrai, ma mère est encore un tout petit peu là, près de moi ?

Je joins mes mains en prière – même si je ne suis pas une croyante très assidue – et je dis à voix basse :

— Maman ! Maman, si tu m'entends, fais-moi un signe. Un tout petit signe de rien du tout. Comme ça, je saurai que tu m'as pas abandonnée au complet.

Au moment où je commence à me sentir ridicule (misère, Victoria, grandis un peu), je lève les yeux et aperçois, au fond de la salle, Henri le portier. Henri discute avec Marie-Ginette, qui a l'air d'avoir des papillons au creux de l'estomac tellement elle se tortille. Leurs rires francs et gras raisonnent jusqu'à moi. Je les regarde et je trouve qu'ils ont l'air de deux enfants égarés dans un salon funéraire.

Henri et Marie-Ginette... un couple ?

Je chuchote à nouveau à ma mère qui, à présent, j'en suis certaine, m'entend :

— Maman, je t'ai dit de me faire un signe, mais, j'en demandais pas tant ! Tu seras toujours aussi imprévisible, maman !

J'embrasse mon père (un bec d'Esquimau).

— Tout va s'arranger, papa. Tu vas voir. J'ai une idée.

Dix minutes avant la cérémonie en l'honneur de ma mère, 10 h 50
Toujours dans la petite salle bondée de gens mal à l'aise

Tante Anna, qui ne pleure jamais (du moins avec de vraies larmes), s'effondre devant le père Julien, celui qui s'occupera de dire des belles choses à propos de ma mère, durant la cérémonie qui doit commencer d'une minute à l'autre. Les chutes Niagara sont aussi insignifiantes que n'importe quelle fontaine de centre commercial à côté des yeux de tante Anna, qui se vident de toutes leurs larmes sur sa robe satinée trop courte. Je ne savais pas que tante Anna avait un don pareil pour la sentimentalité. En tout cas, je la trouve très convaincante dans son nouveau rôle de belle-mère, quand elle s'adresse au père Julien.

— Père Julien, je pense que j'y arriverai pas. Je me retrouve seule avec une enfant, non pire, une adolescente, et je pense que c'est au-dessus de mes forces ! Je peux pas... je peux pas, père Julien !

— Madame Anna, Dieu met sur notre chemin des épreuves qu'il sait qu'on pourra surmonter. Et ce n'est que pour une courte période, si j'ai bien compris.

J'ai envie de rire comme à un spectacle de Louis-José Houde. Il ne connaît rien de nous, ce père Julien ! Je suis plutôt d'accord avec tante Anna, pour une fois : c'est au-dessus de ses forces de s'occuper de moi ! (Et au-dessus des miennes de vivre avec elle.) Dieu a fait une erreur MO-NU-MEN-TA-LE d'imaginer une chose pareille et je ne me gênerai pas pour le lui dire si je le rencontre un de ces jours !

— Madame Anna, la vie doit reprendre son cours. Vous ferez ce qu'il faudra. Je sais que Dieu vous en donnera la force et Victoria vous le rendra.

Il a vraiment passé trop de temps enfermé dans son salon funéraire, ce père Julien.

Je m'approche de tante Anna et lui prends la main.

— Tante Anna, faut que je te dise, je vais aller vivre chez Marie-Ginette pour un bout de temps, dans son triplex.

Tante Anna cesse de pleurer comme une comédienne qui réalise que la caméra n'est plus en marche.

— Marie qui ?

— Mon agente, Marie-Ginette. J'en ai parlé avec papa et il est d'accord, et Marie-Ginette aussi, elle est d'accord.

— Ah, ah bon ? Mais, je t'aurais accueillie volontiers chez moi Victoria, tu le sais, hein, ma pinotte ?

— Oui, tante Anna, je le sais.

Je m'éloigne de tante Anna et je vais rejoindre mon père qui m'attend dans la chapelle. La cérémonie va commencer.

Dans la chapelle, 11 h 05

J'ai quatorze ans et normalement, les adultes ne prennent pas au sérieux ce que disent les gens de mon âge. Pourtant, soixante-quinze paires d'yeux sont tournées vers moi, vers la feuille quadrillée qui tremblote entre mes doigts et qui contient le discours que j'ai composé en l'honneur de ma mère. Je suis supposée le lire ici, devant tous ceux qui l'ont aimée, de près ou de loin, durant sa vie.

La première rangée de bancs de la chapelle est normalement réservée aux membres de la famille, comme si la peine était hiérarchisée dans ce lieu en fonction de l'endroit où on se trouve. Je ne connaissais pas la vieille dame aux bas collants troués qui était assise à côté de moi et qui toussait sans arrêt dans un mouchoir, alors j'ai demandé à Charlotte et à Victor de venir me rejoindre pour le déroulement de la cérémonie. Je les regarde tous les deux, comme deux bouées inaccessibles au milieu d'une mer agitée. Aucun mot ne semble vouloir sortir de ma bouche et personne n'y peut rien. Je respire un bon coup pour le courage, parce que quand j'aurai commencé à lire, je le sais, je ne m'arrêterai pas.

Je n'ai jamais été et ne serai jamais une grande comédienne comme Sylvie Drapeau, mais je crois qu'à partir d'aujourd'hui, je saurai l'effet de livrer un texte avec vérité.

Mon ami Victor m'a parlé, un jour, de l'importance des derniers mots prononcés avant de mourir. Il m'a dit qu'il pense que le choix de ces mots en dit long à propos des gens, de la vie qu'ils ont menée. Victor Hugo, par exemple, avant de mourir, avait choisi de dire : « Allons ! Il est bien temps que je désemplisse le monde ! » Ces points d'exclamation, cette fougue, ça ne lui aurait pas ressemblé, à ma mère. Ma mère à moi, Violette Grenier-Belmont, a choisi une fin sobre, douce. Une fin à son image. Elle a choisi une sortie sans théâtralité, sans doute parce que le théâtre n'a jamais voulu d'elle, dans la vie. Mais ça ne l'a pas empêchée de la réussir, sa vie. Les derniers mots de ma mère, c'était : « Prenez soin les uns des autres, mes cocos. » Des mots simples. Sans poésie. Sans métaphore. Des mots chargés d'un amour sans équivoque, tournés vers ce que ma mère avait de plus cher au monde. Sa famille... Nous. Merci, maman.

La feuille quadrillée cesse de frémir entre mes doigts comme un oiseau qui se pose, après un bien long voyage.

Au cimetière, 14 h

En jetant une poignée de terre au sol, là où l'urne de ma mère a été déposée, je lève les yeux vers le soleil. Je préfère de loin penser que c'est là-haut qu'elle se trouve, au ciel je veux dire, plutôt que quelque part en bas. Ma mère m'a promis de veiller sur nous et je vois mal, pour être bien franche, comment elle pourrait honorer sa parole sous tout ce tas de terre.

Au moment où je sens le chagrin monter et freiner ma respiration une fois de plus, Charlotte s'approche de moi et me tend un pissenlit.

— Chaque fois que je vois un pissenlit maintenant, Victoria, je pense à toi. J'en ai apporté un parce que je voulais que ta mère sache qu'on est vraiment réconciliées, et que t'auras toujours une amie sur qui compter.

J'aperçois Victor, qui s'approche à son tour.

— Deux amis. T'auras toujours deux amis sur qui compter, Vic.

Mon pouce frôle l'index de Charlotte sur la tige du pissenlit. Et ça me fait du bien, même si c'est tout petit, un index.

— Charlotte, il est tout... séché, ton pissenlit.

— Oui je sais, c'est à cause de mon grand-père. Il disait tout le temps: «C'est quand les fleurs sont bien sèches qu'on peut voir leur âme.»

Soudés par notre petite fleur, Charlotte, Victor et moi on s'avance vers l'urne de ma mère.

Je lui dis un dernier au revoir.

MOT FINAL (Sans point final)

Deux semaines et demie plus tard.
La date et l'heure sont sans importance.

Aujourd'hui, je suis retournée à l'école pour la première fois depuis la mort de ma mère. Ça m'a pris un temps fou pour m'y rendre parce que j'y suis allée à pied. La directrice, madame Latraverse, m'a fait savoir que pour un certain temps, j'ai la permission d'arriver en retard en classe.

J'ai bien l'intention d'en profiter.

De l'autre côté de la rue, sur mon chemin, j'ai vu une drôle de dame avec des lunettes de soleil immenses et un sac plastique transparent sur la tête, comme ceux qu'on trouve chez le coiffeur. La drôle de dame avait, aux poignets, six sacs (d'épicerie, ceux-là) qui avaient l'air prêts à rompre à tout moment. Même si chacun de ses pas avait l'air de la faire souffrir horriblement, la dame gardait le dos bien droit – la fierté sans doute. J'ai trouvé que sa bouche crispée la trahissait. Je l'ai suivie, sans me poser de questions. Je ne voulais pas rater le moment où tout le contenu de ses courses se répandrait sur le sol (les œufs surtout). Mais ce n'est pas arrivé.

C'est une chose étrange à dire, mais c'est en regardant la dame se promener avec sa fierté plus lourde que le poids de ses sacs que j'ai compris que, malgré ce que je pouvais croire, la vie ne s'était pas arrêtée pour les autres, depuis le départ de ma mère.

Je sens que je mettrai du temps à apprivoiser cela. Cette idée toute simple :

La vie continue, même sans une mère.
Même sans ma mère.

***

Des gens pressés continueront d'attendre en file à la banque avec un coupon numéroté dans les mains, pour garder leur place.

***

Des couples qui s'aiment beaucoup ou un peu s'embrasseront sur le coin d'une rue, à cause d'un feu rouge.

***

Et d'autres, plus petits ceux-là, verront la neige pour la première fois et trouveront ça beau pendant un certain temps, parce que ça vient d'en haut et que c'est froid sur la langue.

***

Oui, je sens que je mettrai du temps à apprivoiser cela.

Voilà, c'est tout.
Pour l'instant.

Pour l'instant, parce que je ne me fais pas d'idées.
Il n'y a pas de place pour l'ennui, dans la vie de Victoria Belmont.

FIN

Merci à Amélie Fontaine,
qui m'a raconté son histoire.

Si les mots courage, résilience, force, n'existaient pas,
il faudrait les inventer, juste pour toi.

Sur le plateau d'*Une famille à l'envers*, Victor et Charlotte ont aussi connu des hauts et des bas... Pour découvrir ces personnages, et connaître leur version des faits, lis aussi *Victor* et *Charlotte*.

VICTOR

Un extrait du roman de Simon Boulerice

Montréal, 5 juillet
INT. – APPART DE VICTOR – JOUR

Mon enfance est révolue. Ça remonte à si loin, le moment où je frottais vigoureusement ma gomme à effacer sur mon jeans avant de la poser sur la peau de mon bras, juste pour ressentir encore la sensation de brûlure, et me prouver que mon avant-bras était assez résistant pour éteindre une cigarette. Ça remonte à si loin, aussi, le moment où, trop impatient pour attendre la guérison totale d'une plaie, j'arrachais la gale. On a tous fait ça, gamin. Certains ont continué. Pas moi. Je fais les choses comme un adulte. J'attends la cicatrisation totale. C'est du moins ce que je me dis quand je regarde la fraîcheur de Charlotte. Elle doit être du genre à arracher ses gales, elle.

— C'est comment, être célèbre ?

Elle pose la question sans trace d'envie. Dans sa voix, il n'y a qu'une belle curiosité, mâtinée de naïveté.

— C'est correct. Ç'a du bon et du moins bon.

— Le bon, c'est quoi ?

— Le sentiment d'être important, tout le temps.

— Et le moins bon ?

— Se croire plus important que les autres.

Je réponds ça du tac au tac, sans réfléchir. Il y a du vrai dans ce que je viens d'avancer, mais ce n'est pas complet, comme réponse. Je prends un moment avant de revenir à la charge.

— Ça, et l'obligation d'être toujours en représentation. Tu peux jamais être totalement toi-même, parce que tu te sais scruté, dévisagé. Des fois, c'est bon pour l'ego. Mais des fois, ça épuise. Oui, le regard des autres sur soi, non-stop, ça épuise.

Charlotte hoche la tête, comme si elle comprenait. Mais j'en doute. Elle ne sait pas ce que c'est que de prétendre constamment être ce qu'on n'est pas. Cette fille est la spontanéité incarnée. Elle est lumineuse, et c'est la raison pour laquelle on la remarque. Elle n'a qu'une chose à faire pour plaire : être elle-même. Je l'envie.

C'est bel et bien elle qui a décroché le rôle. Yann a été réceptif à l'évidente chimie qui opérait entre nous deux. Cet après-midi, nous lisons nos scènes, chez moi. Assis en indien dans mon lit, j'offre l'unique chaise de mon appart à mon invitée, qui ne tient pas en place. Elle se lève, parcourt les titres des livres (tous classés par ordre alphabétique) qui tapissent la plinthe de mes murs. Je l'entends ponctuer ses découvertes à demi-mot. Des « Oh, je connais pas... », des « Oh, ç'a l'air bon ! », des « C'est fou comme tu lis ! » et des « T'es vraiment un gars brillant, toi ! C'est clair ! ».

Quand elle redépose finalement ses fesses sur ma chaise à roulettes, Charlotte tournoie comme une enfant sur un siège du McDonald, l'air de penser que la liberté, c'est de tournoyer en furie sur une chaise d'ordinateur.

— Comment c'est venu dans ta vie, l'envie de jouer ? me demande-t-elle.

— C'est venu par le karaté.

— Hein ?

— Quand j'avais cinq ans, mes parents m'ont inscrit à des cours de karaté. J'avais besoin de discipline, je pense. J'étais pas mal doué. J'avais beaucoup de mémoire, de la souplesse... À un moment donné, une agence de casting est passée par mon école de karaté. On cherchait un enfant capable de faire des katas impressionnants dans une pub de pharmacie. On m'a remarqué. On m'a offert le rôle. J'ai aimé ça, me faire dire que j'étais bon pis *cute*. Donc j'ai continué à en faire.

— De la télé ou du karaté ?

— Les deux. Héhé. La rigueur des arts martiaux m'aide à exercer mon métier de comédien. C'est vrai que la discipline acquise par mes cours m'est utile tous les jours. J'ai appris à me modérer, me retenir, ne rien laisser paraître. Je peux bouillir de l'intérieur, trembler de peur ou vibrer de désir, et je suis capable de tout contenir ça. Les arts martiaux, c'est mon salut. J'ai arrêté le karaté. Maintenant, je fais de l'aïkido. C'est ce que je dis à Charlotte.

— C'est quoi la différence ?

— En gros, le karaté, c'est une discipline où on frappe avec nos pieds et nos poings. On apprend à attaquer. À bloquer aussi, mais surtout à attaquer. À l'opposé, l'aïkido, c'est une discipline sans frappe. On travaille juste sur la défense. Ça me ressemble plus. Je suis un être pacifique.

— Ça paraît, me dit Charlotte en riant.

Nous lisons nos scènes. La justesse dans le jeu de ma partenaire est toujours au rendez-vous. Je la regarde de biais pendant qu'elle lit et je me dis que si elle s'avère aussi rigoureuse et professionnelle sur un plateau de tournage, elle est promise à une belle carrière. Et comme je me fais cette observation, je me sens soudainement comme un vieil acteur, fort d'une cinquantaine d'années d'expérience.

La jeune comédienne quitte mon appart une heure plus tard. Je l'observe, depuis la fenêtre. L'enfance n'a pas encore totalement déserté Charlotte. Le claquage de ses gougounes sur l'asphalte en fait foi.

CHARLOTTE

Un extrait du roman de Chloé Varin

6 juin, 14 h 34
Montréal, de retour à cette audition infernale...

— Place-toi sur le «x», on va faire ton identification à la caméra.

La voix du réalisateur me tire de mes pensées. Ou de mes fantasmes, devrais-je dire, parce que je n'arrive tout simplement pas à détacher mes yeux du beau comédien qui se tient devant moi. Si on m'avait dit ce matin que je rencontrerais celui qui interprétait le personnage principal de *Poly-po-poli* diffusée à BAM-TV – émission que je regardais religieusement tous les jours, au retour de l'école –, je me serais sans doute étouffée avec mon gruau. Je ne pensais pas être du genre groupie, mais je commence à changer d'avis.

— Quand t'es prête, ajoute le réalisateur pour me sortir de ma torpeur.

Je m'avance jusqu'à l'emplacement indiqué par les deux morceaux de ruban adhésif collés en croix, à même le sol. Je prends une grande inspiration avant de m'adresser directement à la caméra :

— Je m'appelle Charlotte Lemieux. J'ai quatorze ans, même si je fais un peu plus jeune que mon âge. Je viens des Bergeronnes, un petit village entre Tadoussac et Les Escoumins, sur la Côte-Nord. Je...

— Merci, m'interrompt sèchement la femme assise derrière le caméraman. Ton nom et ton âge auraient suffi. On n'a pas besoin de connaître ta vie.

Je pense : « Ah ? La fiche que vous m'avez fait remplir laissait pourtant croire le contraire... », mais je me garde de passer mon commentaire. Le réalisateur m'explique que c'est Victor, l'acteur de *Poly-po-poli*, qui me donnera la réplique. Tout pour m'aider à rester concentrée.

On doit jouer deux scènes : une très courte entre Alix et Hugo et une plus longue avec Noémie. Je me serais donc attendue à ce que ma partenaire de jeu soit moins barbue... Et surtout moins sexy. On m'assure toutefois qu'il s'agit d'une pratique courante en audition.

— On a juste un acteur pour donner la réplique, mais Victor est crédible, même en fille. Hein, mon Vic ? lance le réalisateur à son acteur, qui lui renvoie un sourire complice.

Je saisis l'occasion pour mettre mon plan à exécution.

— Ma meilleure amie m'accompagne, c'est elle qui m'a aidée à répéter pour l'audition d'aujourd'hui. Elle connaît le texte par cœur… Je pourrais peut-être faire la deuxième scène avec elle ?

— Ah. Je suis désolé, ça ne fonctionne pas comme ça, proteste-t-il mollement.

J'ai l'impression qu'il suffirait d'insister un peu pour le faire céder.

— Vous êtes sûr ? Elle est juste à côté, ça lui ferait plaisir d'essayer.

— Non.

C'est la femme de tantôt qui se charge de trancher, toujours à moitié cachée derrière le caméraman, qui lui sert de bouclier. Elle commence vraiment à m'énerver, celle-là ! Mais je saurai au moins qui blâmer si je rate mon audition.

Je décide de me lancer, advienne que pourra. Contre toute attente, j'enchaîne mon texte avec une certaine aisance. Je retrouve vite mes moyens, plus déterminée que jamais à donner le meilleur de moi-même pour impressionner le beau comédien. Je ne rate aucune réplique. Je suis à l'écoute, pas seulement de ce qu'il dit, mais de ce qu'il fait aussi. Madame Sylviane affirme que le langage corporel est hyper important, peut-être même plus que le langage verbal, car c'est ce qui fait la différence entre un bon et un mauvais interprète. L'acteur doit être conscient de ce qu'il dégage et toujours rester dans la peau du personnage, même quand ce n'est pas lui qui parle. Ça peut sembler compliqué dit comme ça, et franchement, ça l'est.

La scène en est presque à sa fin quand une fille d'environ mon âge entre dans la pièce avec fracas.

— Tante Anna ! Maman m'a téléphoné en catastrophe, ça semble pas mal grave cette fois, je te dis, elle devra rester au lit ce soir.

Le temps semble suspendu durant une fraction de seconde qui devient une heure, mille heures, mille ans. J'ai le cœur qui bat la chamade - un jam de percussions digne du carnaval de Rio. Non, mais pour qui elle se prend, celle-là ? C'est de famille d'interrompre les gens comme ça ? Le paquet d'os se croit tout permis sous prétexte que sa tante travaille ici ? Belle mentalité de princesse des bécosses !

Tous les regards convergent vers celle qui se fait appeler « Tante Anna » - et que je préfère rebaptiser Cruella - pendant que moi, je tire des flèches enflammées avec mes yeux en prenant sa nièce pour cible.

— Pas de problème, Victoria. On te mettra dans un taxi si je finis trop tard, on commandera une pizza ou n'importe quoi d'autre. Retourne dans la salle là ! On est occupés ici !

J'ai beau la trouver chiante avec son accent pompeux, cette fois je suis d'accord avec Cruella. En fait, je voterais même pour qu'on appelle un taxi sans plus tarder. Comme dirait la réceptionniste : « Pas de temps à perdre, ma belle ! »

L'intruse se tourne vers moi et ouvre la bouche pour parler, mais elle se ravise aussitôt.

Elle tourne finalement les talons sans s'excuser et ressort comme elle est arrivée : en coup de vent.